国家出版基金项目
NATIONAL PUBLICATION FOUNDATION

《三联经典文库》

第二辑

2012 年国家出版基金项目

三联经典文库

157

论民族形式问题

胡风　著

生活·讀書·新知三联书店

图书在版编目(CIP)数据

论民族形式问题 / 胡风著. -- 北京 : 生活·读书·新知三联书店, 2014.1
（三联经典文库第二辑）
ISBN 978-7-108-04671-0

Ⅰ. ①论… Ⅱ. ①胡… Ⅲ. ①中国文学－现代文学－文学评论 Ⅳ. ①I206.6

中国版本图书馆CIP数据核字(2013)第246495号

157 论民族形式问题

责任编辑 龚黔兰
封扉设计 蔡立国
责任印制 常宁强
出版发行 生活·讀書·新知 三联书店
(北京市东城区美术馆东街22号)
邮　　编 100010
经　　销 新华书店
印　　刷 北京鹏润伟业印刷有限公司
版　　次 2014年1月北京第1版 2014年1月北京第1次印刷
开　　本 787毫米×1092毫米 1/32 印张 4.75
字　　数 62千字
定　　价 18.00元

《三联经典文库》出版缘起

适逢生活·读书·新知三联书店八十华诞，为弘扬传统，接续文脉，回报读者，服务社会，我们决定策划出版《三联经典文库》。

1932年7月，生活书店在上海创办，此后，读书出版社和新知书店相继成立。本文库第一辑、第二辑所选图书，来自于这三家出版单位及其分支机构，以及1948年生活·读书·新知三联书店成立后的出版物，始于1932年，截至1951年，两辑各一百种。此为第二辑，涉及政治、经济、社会、军事、思想文化诸领域，涵盖专著、文集、散文、小说、诗歌、传记、报道等体裁，既有直面现实、追求真理、讴歌真善美、抨击假恶丑的原创作品，又有引介世界各国先进文化、传播新知、开启民智的迻译之作，真实记录了那一代知识分子的思考与探索、理想与愿景和对中华民族文化传承与创新所做出的努力与贡献。

本文库所辑入各书，多为名家名作，在版本方面，以初版一印本或经著译编者审定、修订、增订过的版本为首选，因此本文库又具有较为珍贵的版本价值和收藏价值。

本文库还将编选续辑，使之成为恢弘文化工程。诚挚希望读者给予批评和指正，帮助我们完善编选工作，再现三联经典作品之风采。殊为遗憾的是，由于年代久远，一些原著译编者及其后人未能取得联系并奉付稿酬，诚盼版权所有者与我们联系。祈愿三联前辈所创造的精神财富能薪火相传，为中华文化的伟大复兴增光添彩。

《三联经典文库》编辑委员会

2013 年 8 月

凡　例

一、本文库为重排本，由繁体字竖排版改为简体字横排版。

一、以忠实于原作、整旧如旧为编辑原则，对当时使用的专有名词、外文译名，以及民国时期的语言和特色予以保留。

一、原书注释如旧，编者所出的注释，均以“编者注”标明，以示与原书注释的区别。

一、对原书残缺或字迹漫漶之处，以□示代。

一、对繁简文本转换时的“如右”、“见左”一类，对应改为“如上（前）”、“见下（后）”。

一、对原书中各种错讹脱衍之处，直接订正，不再以其他符号标示。

一、对数字、标点符号的用法，在不损害原文语义的情况下，做必要的规范。

一、本文库各书均前插原书书影、原书版权页和文库版“本书出版说明”。

一、本书出版说明的撰写，以客观中立为原则，扼要介绍本书的内容、版本流转、著译编者的情况。

本书出版说明

本书为胡风第五批评论文集，从九个方面着手探讨了民族形式问题。作者认为，一方面，要深入活的现实里面体认现实主义的方法，使现实主义的方法更能够在它的合理道路上得到反映以至提高现实生活的作用。只有这样，现实主义的方法才能够成为创造作品的有机统一的活的形象的力量，才能够使国际的东西通过民族的面貌，也就是所谓“新鲜活泼的，为中国老百姓所喜闻乐见的中国作风与中国气派”而出现。克服新文艺的缺点和提出“民族形式”，并不是要丢掉新文艺，或者用另外一种东西来代替新文艺，而是要使新文艺更健康、更发展。

本书由海燕书店1947年4月初版于上海；1950年12月为第三版，此次出版即以此为底本。

作者胡风（1902-1985），原名张光莹，笔名谷非、高荒、张果等，湖北蕲春人。自1920年起先后就读于武昌、南京两地中学，开始接触“五四”新文学作品。1925年进北京大学预科，一年后改入清华大学英文系。不久辍学，回乡参加革命，一度任职于国民党宣传和文化部门。1927年加入中国共产主义青年团。1929年赴日留学，加入中国共产党，从事普罗文学。1933年因在旅日学生中组织抗日文化团体被驱逐出境，回到上海，任“左联”宣传部长、行政书记，与鲁迅常有来往。抗战期间，主编《七月》杂志，促进了“七月”派的形成和发展，辗转于汉口、重庆、香港、桂林等地从事抗战文艺活动。1945年初主编《希望》杂志，旨在通过该杂志，展开真正的争论，批评中共党内某些官员的教条主义，配合延安整风运动，但以此遭到批判，杂志被取消。1949年后历任中国文联委员、中国作家协会理事等职。1955年因“胡风反革命集团”案而被捕入狱，直至1979年获释。1988年彻底平反。代表性诗作有《为祖国而歌》、《时间开始了》，著作有《论民族形式问题》等多部。

生活·读书·新知三联书店

2013年8月

海燕书店 1950 年 12 月上海第三版书影

（聚古元仿剪纸木刻作封面）

一九四七年 四 月第一版 上海印 0001—2000冊
一九五〇年十二月第三版 上海印 4001—5500冊

發 行 人 俞 鴻 模

海 燕 書 店
上海中央路24號211室

(18)〔A 1〕3.70元
光藝印刷廠承印

原书版权页

论民族形式问题

问题的提出、争点和实践意义

——对于若干反现实主义的倾向的批判提要，
并以纪念鲁迅先生的逝世四周年。

目次

题　记

本书初版时，我在卷首写下了这样一节话：

本篇是拟写的、由几篇有关联性的论文结成的一本小书里面的一章，学术出版社愿意印成小册子，所以先让它独立地和读者见面了。这个问题，牵涉到许多文艺理论上的原则上的理解；实际上，围绕着这个问题，许多理论家底意见也是非常分歧的。我在这里坦白地提出了我底意见，作为我自己现在能够达到的理解底备忘录，也希望或者多少可以作为关心这个问题的文艺家同志们底参考。如果在收入全书的时候，由于文艺家同志们底启示，也由于作者自己底理解底前进，能够有比较正确的修正，那现在这个小册子形式的出版就不算浪费了。

一九四〇年十二月一日记于重庆。

这一次是新排的，但依然是原样子，并没有加什么修正。所以想在前面补上一点解释。在当时，这一个问题引起了广大的论争，成了文坛上的一件大事，而事实上，由于对它的看法不同，对于新文艺传统的估计以至文艺运动方向的理解，就可以产生不同的甚至相反的结果。所以不得不针对双方的争点展开分析，剥出那些争点底根源，从这找出这个问题底内容上的实践意义。但也因为这，全篇底展开就不能不多少受了那些争点底限制。

但我是尽可能地从文艺发展底实践要求上接近了这个问题的，不过，争点既然是由于理论上的分歧而起，对于那些理论的追求就无法回避，而问题底真相也只有从那些论点底分析里面才能够得到的。既然是理论的分析，当然不能像读山歌、故事或事实报告那样流顺，于是，这一篇小论就受到了艰深、读不懂的诟病。这也是无法避免的，而且我以为，人只要是从文艺发展底真的感受基础上来接近这个问题，那我底一切用语也只算得是应有的常识，虽然不能像山歌、故事或事实报告，但也说不上是什么专门的“纯粹理论”。

当然，一下子拿出几条简明的原则，像二加二等于四那样的明白，我是没有也无力做到的。而且我以为，世界上没有什么孤立的问题，何况现在是专从形式上面着眼的，问题本身就有容易陷入形式主义的危险。我虽然尽可能地从文艺发展底实践要求上接近了它，算是勾出了它底轮廓以及它底来踪去迹，但从文艺运动底迫切要求和论争当时的混乱情形看来，要使我底意见得到更大的说服性的解释，并且在创作实践上争取到应有的影响，那只有从新文艺发展底若干重要的侧面的检讨上才能够真正地达到。那以前原有了一点工作计划，于是就和这个问题联系了起来，想开始着手，然而，世乱时艰，再加上自己的懈怠，只是空空地让几年的时光溜走了。

所以现在也只有让它照原样子单独地印了出来。因为，我自己既是这样的情形，而本文发表以后，又再没有谁继续这个问题底讨论，成了没有启发也就没有生发的状态。

但当然，文艺运动底要求是在发展的，创作是在发展的，战斗的作家们、理论家们应该能够引出问题底发展的内容，汲取实践的教训。文艺斗争是和实际的血肉斗争息息相连的，不管我们这文坛怎样混乱，怎样荒芜，但也决不能把真诚的作家们和理论家们底努力和成长压死。那么，让我把这本小书献给他们，算是送给在寂寞里面苦斗的他们的一声问讯罢。

一九四七年，三月四日，记于上海蛇窟。胡风

一　大众化运动一瞥

由于“五卅”运动和一九二七——一九二九的大革命而被掀起了的“革命文学”运动，使“五四”新文艺底传统得到了一个新的进展。为什么只是“进展”而不是“否定”呢？这是因为：“革命文学”运动并没有从“五四”的“文学革命”运动底民主主义的任务，为民族底解放（反帝），为民族底进步（反封建）这任务突变出去。为什么又能够是“进展”呢？这是因为：“革命文学”运动使文艺在它所要反映的生活斗争里面找着了使民族力量底配合发生了变动的、新的动力，在对于生活的认识上获得了新的看法，因而在作为生活认识方法底一形式的文艺的表现方法上开始了可能的深入的方向。这并不是说，这“动力”在“五四”时期没有表现它底存在，或者说在文化上没有作为新生的力量取得任何反映，但作为强的主动的物质力量，带着它底世界感和世界观走进了文艺领域，却是到了这时候的事情。

那我们就不难看到，“革命文学”主要地得向着两个目标奋斗：第一，得通过这新的世界感和世界观去认识生活、表现生活；第二，得使它本身成为劳动人民自己能够享有的，认识生活、批判生活的武器。这样，“五四”新文艺就由市民阶级把它底领导权交给它底继承者了。

“大众化”的口号，就是为了达到这目标的战略方向之一。所以，“大众化”底内容是，一方面是为劳动人民的，另一面是能被劳动人民享有的，在现实情形下很难统一、然而非在某一方式上某一程度上开始争取统一不可的东西。

我们现在就看一看这运动底摸索过程，或者说发展过程。

第一次，在一九二九年——一九三〇年左右罢，不但有了叫做《大众文艺》的期刊，而且还广泛地征集了作家们对于“文艺大众化”的理解或意见。这正是“革命文学”结束了自己底内部纷争，团结并集中了力量，开始提起实践工作的时候。虽然我们现在找不到材料去分析它底一般理论上的和实践上的成绩，但还可以看到鲁迅在《文艺的大众化》（在这次“民族形式”的论争里面就被引用过）里面提示了的原则上的要点：第一，批判了艺术至上主义的态度，主张“竭力来作浅显易解的作品，使大众能懂、爱看，以挤掉一些陈腐的劳什子”，第二，不能空谈地“迎合大众”，来否定一般文艺上的斗争，“当有种种难易不同的文艺，以应各种程度的读者之需”，第三，大众化底高度发展“必须政治之力的帮助”，对当时的罗曼蒂克的“文化主义”提出了警告。在这里，大众化运动就被付与了一个可以取得发展的健康的发端。

第二次，当在一九三一年末——一九三二年初，这正是“九·一八”以后，“一·二八”当中，民族危机发展到了深刻的阶段，群众运动在国民热情底澎湃下面非常蓬勃的时候。在文化首都的上海，正在理论介绍、理论斗争上和创作实践上执行着先锋任务的“革命文学”，一方面痛感到工作任务底迫切，一方面找着了工作基础底存在（群众运动），于是“大众文艺”在空前的强的实践意义上被再提了出来。投身到或志愿投身到群众里面的作家们、文艺青年们，在战斗底热情下面开始了“大众化”底实践：接受了国际革命文学底经验，如报告文学、诗歌朗诵；创造了新的小形式，如墙头小说、街头剧；也最初地提出并实践了旧形式底利用，如连环图画、唱本，“旧瓶装新酒”的拟语也就是从这个时候用起的。

第三次，在紧跟着的“第三种人文学”的论争（一九三二年），每前进一步必要遇到阻力的战斗里面，“这样低级的形式”（第三种人苏汶语）的“旧形式”底利用，就被“死抱住文学不放”的“第三种人”当作了一个可以长驱直入的进兵缺口。对于这，革命文学阵营提出了理论的反击：

> ……苏汶先生又仿佛有着形式有独自价值的意见，并且在他对于连环图画和欧化文学的形式的意见上，就仿佛形式不仅有独自价值，并且是独自发展，又仿佛是决定的东西了。所以他不能了解：某种简单的内容可以自

动的批判地择取某种简单的形式，造成某种简单的艺术，以供给简单的读者；并且在这里内容可以争取支配的地位，时时地影响形式，而逐渐达到较高级的艺术。同时苏汶先生用了艺术贵族主义的眼光来看，也就当然不能了解：简单的艺术，只要是强有力的简单的艺术，能够感动多数的简单的大众读者，也就构成了它应当有的艺术价值。实际上，如西洋的壁画和版画的发展历史所证明（请参看鲁迅的《连环图画辩护》），如连环图画之类是可能发展为较高级的艺术，成为将来有民族特色的国际艺术的。并且一切大众艺术的价值是到底不能抹杀的。至于连环图画之类，那正不必说，不过是我们列为大众艺术的创造的许多途径中的一条罢了。我们是更主张学习西欧的如报告文学、朗诵诗等等的大众文学的。尤其没有反对对于一切更发展的更高级的形式的学习。（何丹仁：《关于“第三种文学”的倾向与理论》）

在这里，我们可以看出几个要点：

第一，旧形式底利用，既不能实用主义式地离开“艺术价值”，却又有着它底限界：只能是“某种简单的内容”对于“某种简单的形式”的占领。

第二，依然固守着内容决定形式的原则，内容“争取支配的地位，时时地影响形式”，否定了形式有“独自价值”、“独自发展”的观点。

第三，在内容“争取支配的地位”的原则下面，旧形式（“连环图画之类”）有“可能”发展为“较”高级的艺术。

第四，旧形式底利用不过是“大众的艺术的创造的许多途径中的一条”，没有否定“学习西欧的如报告文学、朗诵诗等等的大众文学”，更不能和“对于一切更发展的更高级的形式的学习”势不两立。同时，对于这一进攻，鲁迅也提出了坚强的答复：

……我们虽然诚如苏汶先生所说，不至于蠢到不知道“连环图画是产生不出托尔斯泰，产生不出弗罗培尔来”，但却可以产生米开朗琪罗、达文希那样伟大的画手。而且我相信，从唱本和说书里是可以产生托尔斯泰、弗罗培尔的。现在提起米开朗琪罗们的画来，谁也没有非议了，但实际上，那不是宗教的宣传画、《旧约》的连环图画么？而且是为了那时的“现在”的。(《论第三种人》)

这里面的有几句话，在现在的“民族形式”论争里面常被引用，但我以为他底立意分明是为了说明艺术的战斗的任务，为了说明战斗的“低级的形式”正有向上发展的前途。把这当作对于现代的“高级形式”或新的大众文艺形式的否定，固然大错，就是把“从唱本和说书里是可以产生托尔斯泰、弗罗培尔的”这句话固定化为一个特定的断语，也不免是不明白当时实际情势的，望文生义的看法。

这样，从对于“大众的艺术的创造的许多途径中的一条”底反对论的斗争里面，革命文学把早应联系起来的“大众化”运动和一般创作问题联系了起来，虽然还只能在粗浅的理解上联系了起来。

第四次，和“第三种人”论争约莫同时，革命文学阵营内部发生了一次关于“大众文艺”的讨论。讨论底内容只是限于文艺底用语问题上面，革命文艺应该用什么话写的问题上面。出发点是对于“五四”新文艺底“白话”的否定，说那是“和平民群众没有关系”的“欧化的新文言”，革命的大众文艺应该改用“新兴阶级的普通话”，“在五方杂处的大都市里面，在现代化的工厂里面，他们的语言事实上已经在产生着一种中国的普通话”。如果说，“第三种人”论争是不得不争取发展的大众化运动对于敌人的反击，那么，“大众文艺”用语问题底这个讨论就是不得不争取发展的大众化运动所尝试的自我批判。因为，大众化运动一被移到创作实践（能表现大众底生活，能被大众懂得）上面，就不得不碰到文艺言语和大众口头言语的差异，这个构成文艺形式的基本材料的语言（文字）问题。这一次的讨论，不外是大众化运动从对于这个问题的明确的认识里面所感到的苦闷在理论活动上的反映。这一问题底提出，虽然把被看做革命文艺底一部分问题的大众化运动扩展到了整个革命文艺底创作领域上面，然而在理论上却没有得到什么收获，除了对于“五四”新文艺底“白话”的批判，以及对于这个批判的反批判（分析地证明“新兴阶级的普通话”并不存在和“欧化新文言”底应有评价）这两方面底论点都包含了部分的（仅仅是部分的）真理以外，就是方言文艺和方言土话拼音化的要求这两个问题底提出，做了接踵而来的伟大的新的语文改革运动底预告。

第五次，一九三四年的语文改革运动，所谓“大众语”运动，固然是“大众文艺用语”问题底进一步的发展，但也是当时对于作为复古运动底表现之一的“复兴文言”的斗争底进一步的发展，当时的群众运动对于文化运动的推定作用底加强过程所反映出来的一般文化“通俗化”运动底进一步的发展，不用说同时还是数十年来的文字革命运动底最高阶段的发展。当大众语运动发展到了拉丁化新文字运动，问题底性质就早已从文艺用语这限界突破了出去，成了也要通过文化活动去争取解放的国民的群众运动底一环。这一运动，不但以鲁迅为首在理论上说明了：文字要能够是国民口头言语底纪录、选炼和提高，能够反映国民生活底内容、底色泽、底韵律，因而能够被国民自己用作反映生活、批判生活的武器；这就是从高度的多元的发展（方言文化，方言文艺运动）去争得有如国民生活本身那么丰富的内容的一元的统一（未来的民族统一语文和国民文艺），……而且，青年语学家们还在实践上开始了坚实的活动：北方话字母方案底制成和一些书报底出版，上海话、宁波话、广州话、厦门话等字母方案底制成，地方语刊物、课本底编印，地方语研究会、学习班底成立……这就建立了一个虽然远不能和现实要求相应、然而却可以由这开发的基础。所以，大众语运动，不但通过文艺用语问题把大众化底内容扩展到了整个创作领域上面，而且，通过国民的语文改造问题，使大众化底内容在群众对于旧意识的斗争和对于新意识的争取里面和作为国民的、群众的政治解放运动底一翼的、国民的、群众的文化斗争在具体的过程上联结了起来。在许多论者一再注意到内容上的"前进的意识"这一说法上面，这联结就表现得非常明显。

这一运动，主要地当然是对于方块字拜物教的斗争，但我们在这里还应该提一提从反方块字拜物教的立场上派生出来的两个争端。第一，有人对于"五四"新文艺以及它底“白话文”采取了完全否定的态度，承袭了大众文艺用语问题论争里面的，断定白话是“欧化的新文言”的意见。这一理论甚至会把大众语文运动弄到落空，使它变成只是否定过去的战绩的、两脚不着地的、有害的革命空谈。对于这，鲁迅在这次“民族形式”论争里面被引用过的《彻底的底里》提出了反击。我们在这里还可以另外引用一段说明：

> ……说白话文是买办资产阶级的东西，这显然是一个不正确的估计。白话文固然有和买办资产阶级相通的一面，但也有和大众相通的一面。在形式上，白话文底基本词汇和语法，也是劳苦大众口语底基础部分；在内容上，白话文现在创造了不少的进步的作品，是理论翻译底唯一工具。我们不能把和大众的生活需要结合着的白话文抛掉。大众里面的作家会把白话文里面合乎大众需要的部分提高，不合乎大众需要的部分消灭，在实践中将白话文“扬弃”。（高荒：《由反对文言文到建设大众语》）

第二，对于大众文艺创作的途径之一的利用旧形式，发生了会不会阻碍创造新形式的怀疑。也是鲁迅，再一次地指出了问题底性质，这也是在这次“民族形式”论争里面常被引用的：

> ……现在想到，而且关心了大众。这是一个新思想（内容），由此而在探求新形式，首先提出的是旧形式的采取，这采取的主张，正是新形式的发端，也就是旧形式的蜕变。……
>
> ……旧形式是采取，必有所删除，既有删除，必有所增益，这结果是新形式的出现，也就是变革。而且，这工作是决不如旁观者所想的容易的。（鲁迅:《论旧形式的采用》）

文艺大众化或大众文艺底内容底这一个发展，汇合着“五四”以来的**新的现实主义理论底发展**（新现实主义——唯物辩证法的创作方法——社会主义的现实主义）和进步的创作活动所累积起来的艺术的认识方法底发展，这三方面底**内的关联**就形成了“五四”新文艺底传统，**现实主义的传统**。从这里就可以知道，大众化不能脱离“五四”传统，因为它始终要服从现实主义的反映生活、批判生活底要求，“五四”传统也不能抽去大众化，因为它本质上是趋向着和大众的结合。

“五四”传统底这一个到达点，应该在文艺运动底行动纲领里面取得综合的反映，成为新的运动底基点，而事实上，在一九三六年的“民族革命战争的大众文学”这一个口号里面，终于找到了要约的表现。“民族革命战争”，它提出了文艺战斗的任务（内容、主题），“大众文学”，它指示了文艺底战斗的道路（方法、形式）。当然，从“方法”底观点看，是不够明确的，但它却说出了文艺运动底迫切的要求。不料这个口号终于遭到了宗派主义者底压杀，甚至有的论者把被大众化运动底发展史所保证的、应该用理论的说明去充实的“大众文学”这个名词也看做了无益有害的东西。这样一来，“五四”传统所获得的大众化的内容终于没有在文艺运动底号召上争到表现，反而转落到自然生长性的限界下面了。

二　在新的情势下面

全面的民族战争终于爆发了。反映在文艺运动上面，这个使民族底生活全面地发生变化的战争提供了什么呢？

首先，一方面由于国民的、统一战线的政治动员（在这里是宣传教育的、文化的动员），一方面也由于物质生活条件底剧变（所谓“文化中心”底移动、分散、和变质等），文艺干部（作家，知识分子的、工商劳动的以及军政工作的文艺青年）取得了在从未经验过的规模上、也在从未经验过的激动里面和现实生活的结合。从这里，绝对大多数（我底意思是除掉极少数的害着麻木症的雅士和日本皇军底直接间接的子民）的作家，尤其是或强或弱地带有现实主义倾向的作家，一方面更确实地看到了大众底文化生活底实际状况，痛感到文艺运动在教育启蒙工作上的责任，一方面更亲切地感到了所谓“大众”所谓“现实生活”用着使想象吃惊的、多彩的、活生生的形象，用着他们底表现感情的方式、表现思维的方式、认识生活的方式（所谓“中国作风与中国气派”）

不断地迎来。当被战斗的任务所燃烧的作家底意志一旦和在战争底动员下面急激变动着的现实生活相接触相结合，民族底现实就**全面地**用着**活的面貌**显现了。这就使得作家们有可能各各从自己底道路上，各各在可能的限度上更深入地、更生活实践与创作实践统一地，去认识生活、把握生活、表现生活。

这就是战争对于文艺运动底战斗方向，对于文艺作家底战斗意志所提供的条件、情势。

文艺运动带着了什么来投入这个情势呢？不用说，战争以来，文艺运动并没有明确地提出过作为行动纲领的口号，但它决不能也决不会拿着两只白手来凭空创业。它带来了“五四”新文艺底传统。没有了这，文艺运动对于战争的服务就弄到手无寸铁，文艺作家底被动员到战争里面，就成了不是被文艺的战斗要求所鼓动的、和文艺无关的、现实里并不存在的一般公民；没有了这，文艺运动对于战争所提供的这新的情势就不能从自己底视角上认识，更不能从这新的情势里面求得**自己发展**底方向。

幸而它是自觉地或者说本能地带了这个传统来的。

以在大众语运动里面被触到了远景和全的轮廓的“大众化”为基本内容之一的现实主义的传统，文艺运动正是带着它走进了战争所显示的“生活的密林”：不仅是现实生活底一般的科学意义，而且是大众底表现感情的方式、表现思维的方式、认识生活的方式，而在文艺底基本材料上，就是大众口头上的语法、语汇。从内容方面说，前者（现实主义的传统）是认识现实生活的方法，后者（生活底密林）是现实生活；从形式方面说，后者是创作素材，前者是使创作素材得到合理表现的组织力量。

实践底过程正可以对于这一认识作证。战争以来的创作活动，只要多少是为战争服务的创作活动，概括地说来，都是为了反映民族的生活现实。用什么反映民族的生活现实呢？用“五四”传统的现实主义的方法，虽然这里面有或强或弱，有直接承继（新文艺作家）间接影响（旧形式作家）之分，虽然这传统本身正带着需要克服的弱点。为什么反映民族的生活现实呢？为了大众在可能的限度上渐次地接近这一时代底活的真理（大众化的创作），为了对于活的民族现实作本质的分析——典型底创造，从这里追求民族、大众底发展方向（所谓高级的创作）。我们看到了大众文艺活动底空前发达，我们看到了一般创作活动在主题上的广泛的开拓。

不用说，一般创作上的形象大多数（绝对大多数）还显得贫枯，没有取得“新鲜活泼的”“中国作风与中国气派”，有些大众文艺底作者还只是疲乏地彳亍在反刍式的“旧形式”里面。然而，由于这，我们能够说，这过错是在于“五四”传统的现实主义的方法么？不，恰恰相反，正是因为现实主义的方法没有被作家融化成像它所要求的那样在活的形象上认识（表现）今天这样丰富的现实的能力，至多也只能说是因为我们所把握到的现实主义的方法还没有坚强到把今天这样丰富的现实最大限地最高速地化为自己底血肉。

不是否定现实主义，而是使现实主义在创作上争取发展。

怎样争取发展呢？一方面，需要作家在具体的活生生的面貌上，在能够成为内的经验那样程度上接触战争中的具体的事变；方法底发展只有通过活的对象才能够达到。另一方面，需要作家认识战争发展底基本路向在文艺上的要求；活的对象只有经过方法底贯串才能够得到正确的反映。战争向文艺运动发出了这个要求，但同时也就提供了使这个要求能够实现的现实基础。所以，深刻地认识（表现）统一战线的、民族战争的、大众本位的、活的民族现实，这是需要正确方法的、内容上的要求，文艺运动应该**在方法上在内容上**提出和现实情势相应的口号，但为了方法上的内容上的要求得到**补充的说明**，也就需要**从形式方面**明确地指出**内容所要求的**方向。

这就是“民族形式”这一口号底提出。

形式，是内容底本质的要素；组织形式的力量是从认识现实的方法上来的。对于形式底特质的把握，正是突入内容的一条通道。“民族形式”，他本质上是“五四”的现实主义传统在新的情势下面主动地争取发展的道路。一方面使主导的基本点争取前进，一方面使这主导的基本点受到妨碍的弱处或不足争取克服：是这一争取发展的道路。它底提出，原是由于形式底能动作用能够达到内容底正确的把握而且前进这一方法上的意义，也只有在实践里面固守住这一意义才能够取得战斗的作用。

所以，这一口号底提出，以为它是对于“五四”传统的否定（黄绳、向林冰、王冰洋等），当然会得到抹杀“五四”传统在今天的战斗任务，使得这口号只有军服、番号而没有武器的结果，以为它并没有新的特质，只不过是旧事重提（葛一虹、以群等），也是抛弃了在具体的现实情势下面的活的根源和战斗的目标；以为它是“为了为抗战建国服务的新文艺，为大众服务的文艺，需要有他自己的民族形式”，而且“为了使中国文艺在国际文坛上占到一个地位”（潘梓年），不过是和文艺底内的发展过程没有任何接触地倒果为因，以为它是“大众化由空想到实现”（向林冰），也只能是从对于“五四”传统以及大众化底发展过程的抹杀达到“民族形式”底内容的枯缩；以为它要平列地担负文艺运动底一切任务（光未然），那就会一方面使它底本质的意义堕入五里雾中，一方面使它底必要的前提（现实主义的方法）丧失地位，以为它底“目的是要反映民族的特殊性以推进内容的普遍性”（郭沫若），那就由特殊的创作过程上的内容还原到一般方法论上的内容，因而也就只能抽象地提出要“切实地把握时代精神，反映现实生活”，或者现象地指摘“用意遣词的过求欧化”了。

三　关于“新质发生于旧质的胎内”，“移植形式”——一个文艺史底法则问题

到这里，我们就应该接触到在创作实践过程上怎样实现这一口号的课题了，但却首先碰着了一种理论，说“民族形式”底创造应该以“民间形式”为“中心源泉”。

从这一理论底首创者（向林冰）底意见里面，我们可以概括出这样一个公式：

> 新质发生于旧质的胎内，通过了旧质的自己否定过程而成为独立的存在。因此，民族形式的创造，便不能是中国文艺运动史的“外铄”的范畴，而应该以先行存在的文艺形式的自己否定为地盘。（《论民族形式的中心源泉》）
>
> 新的民族形式的创造，不以民间形式的批

判的运用为起点，不从旧形式的内的自己否定中来发现新形式的萌芽，这完全是纯主观性的腾云驾雾的文艺发展中的空想主义路线……（《民间形式的运用与民族形式的创造》）

将以大众为主体的抗战建国新内容与民间文艺的旧形式相结合，通过批判的运用过程而引出的，不是内容的被歪曲被桎梏，而是形式的被扬弃被改造。并且，民间形式，在其与封建内容相结合（如过去中国民间文艺），或与帝国主义思想结合（如目前日寇在游击区的通俗宣传品）的场合，才是反动的；如果和革命的思想结合起来，则是有力的革命武器。由此，我们便看见了由低级形态向高级形态转化的具体路径及前者与后者的关联性。这就是说，民间形式的批判的运用，是创造民族形式的起点；而民族形式的完成，则是运用民间形式的归宿。换言之，现实主义者应该在民间形式中发现民族形式的中心源泉。（《论民族形式的中心源泉》）

这是辩证法底一般法则在特殊领域的文艺发展过程上的应用，也就是“从一个旧有的形式构造之规律性推进到另一种新的形式构造的规律性去的路线”（王冰洋）。

这一方法论上的根据（“新质发生于旧质的胎内”），反对论者里面不但没有谁从原则上提出过反对，有的（胡绳、潘梓年、黄芝冈、葛一虹、以群、罗荪等）甚至还明确地表示了同意，说“这些理论根据都是没有问题的”（胡绳）。

然而，我们首先就不得不看一看这个“路线”，“这些理论根据”是不是没有问题。

先借用一段说明罢：

> 表现现实的新的风格、新的方法，虽然总是和以前的诸形式相联系着，但是它决不是由于艺术形式本身固有的辩证法而发生的。每一种新的风格底发生都有社会的历史的必然性，是从生活里面出来的，它是社会发展底必然的产物。（G. 卢卡契:《叙述与描写》。傍点是引

用者加的）

这就使“新质发生于旧质的胎内”的形式论遇着了鲜明的对立。和“从旧形式的内的自己否定中来发现新形式的萌芽”或“从一个旧有的形式构造之规律性推进到另一种新的形式构造的规律性”相反，却主张了新的文艺现象是“从生活里面出来”：“决不是由于艺术形式本身固有的辩证法而发生的”。

这是不是说文艺发展过程和辩证法相反对，或者说，一部文艺史毫无法则呢？也不是的。只不过文艺底发展并不是由于形式本身的“内的”变革，它底法则并不是使形式孤立起来成为自立的发展过程，把辩证法的法则硬套进去所能够得到的。

在这一课题上面，文艺学者G.V.蒲列哈诺夫、V.M.弗里契、A.G.柴伊特林、G.卢卡契等，已经获得了辉煌的劳绩。

特定的社会层对文艺提出特定的任务，特定的任务要求特定的形式。这新形式的形成，是依着两个相对立的法则。

第一个法则：

> 写着自己的诗的新的社会层，从现在或者甚至是遥远的过去的、获得了经济的社会的成功，因而也就获得了文化的成功的其他国家底同一社会层借用一定风格上的、体裁（这一次论争里面所说的“形式”——胡风）上的构造。
> （V.M. 弗里契）

这一“外砾”的法则，是丰富地从文艺史的现象概括出来的，并不是“纯主观性的腾云驾雾的文艺发展中的空想主义路线”。我们可以借 A.G. 柴伊特林底说明，用 Ode 这一体裁（形式）在法俄两国发展的情形作证。

Ode 这一体裁，是在法兰西的绝对主义氛围气里面繁荣起来的。它适应了因为需要它、所以创造了它的社会层底长音阶的气氛。许多 Ode 作者赞美了路易十四——胜利的司令官、聪明的君主。然而，这个适应了绝对主义的法兰西宫廷的一切心理的气氛的、十八世纪中叶的 Ode，百年以后，却被“移植”到俄罗斯的土壤上面，生根了。因为，俄罗斯底各种条件的复合体在种种特点上和法兰西底条件是类似的。爱卡契里娜的时代，是俄罗斯的商业资本主义得到了拓张的时代，是彼得大帝的征服事业胜利地完成，在南方和东南方获得了新市场的时代。这个经济的扩张，是接受了俄罗斯底绝对主义底保护和政治的指导才能够产生了的。爱卡契里娜时代的侵略，是具有被集中化了的绝对权力的专制国家的侵略。这个扩张愈加成功地发展，这个权力底社会的一般性就愈加上升了。胜利加深了爱国主义的气氛，替俄罗斯帝国带来了胜利的人们底名字就被包围着了名誉的荣光。所以，像在类似的社会基础上成长了的法兰西古典主义的 Ode 所完成的一样，俄罗斯的 Ode 完成了赞美绝对主义的英雄们这一个课题。一方面是用少数勇敢的兵士打败了俄罗斯国家底敌人底大军的、只胜不败的司令官，一方面是聪明地指导法兰西国家向前突进的专制君主；基本的形象是类似的。所谓“抒情诗的无秩序”，这种构成上的插话配置是相同的。和体裁相适合，高度的悲怆的表现、夸张、譬喻、许多修辞上的滥调——充满了对于被称赞的英雄们的形容词，这种言语上的构造也是相同的。这样地，诗的构造底一切配合——主题、构成、风格，融为一体，形成了文艺上的一个体裁（形式）。

同样的，就作家说，我们可以举出没落的封建贵族阶级底作家，法国的微尼（Vigny）和英国的拜伦对于同一社会基础的俄国作家莱芒托夫的影响，法国的庄园作家乔治·桑对于同一社会基础的俄国作家屠格涅夫等的影响来，等等。

向林冰先生自己也就引用过蒲列哈诺夫底研究结果：

> 试把《爱涅伊达》和《奥迪赛》比较一下，或把法兰西的古典的悲剧和希腊人的古典的悲剧比较一下吧。又试把十八世纪的俄罗斯的悲剧和法兰西的古典的悲剧比较一下吧。这么一来，诸君可以从那里看到什么呢？《爱涅伊达》不过是《奥迪赛》的模仿，法兰西人底古典的悲剧不过是希腊悲剧的模仿。又十八世纪的俄罗斯悲剧，虽出凡手，但那是以法兰西的悲剧

为范本，模拟而创造了的。无论哪里都有模仿。但是，模仿者和原型之间，有着距离，那距离恰如存在于产生了模仿者的社会和原型所生活着的社会间所有的距离一般大。……

这样地，一国底文学之对于他国底文学的影响，正比例于两国的社会的诸关系底类似。在这种类似等于零的场合，影响就全不存在。例如阿非利加的黑人，直到今日为止一点也不受欧罗巴文学的影响。在一民族因其为后进国的缘故，无论在形式上抑在内容上不能给予什么东西于他民族的场合，这种影响就是一方面的。例如前世纪的法兰西文学，虽影响于俄罗斯文学，但丝毫不受俄罗斯文学的影响。最后，因为社会状态类似的结果，相互地交换着的两民族之中，任何一方都能够从对方民族借用一些什么的场合，这种影响就是相互的。例如法兰西文学影响着英国的文学，同时它自身也受了英国文学底影响。英国底似是而非的古典文学，大为其当时的英国贵族所欢迎。但是，英国底模仿者决不能够和法兰西底原型对抗。那是因为英国贵族虽然尽了一切的努力，但终不能够把法兰西底似是而非的古典文学之隆盛期当时的社会的事情移植于英国的缘故。(《史的一元论》，译文有几个字的订正——胡风)

但可惜的是，这个后来由 V.M. 弗里契、A.G. 柴伊特林所深刻地究明了的，“作家的世界共和国”（柴伊特林语）底基本生活法则之一的、理论上的先驱的发端，却被向林冰先生做出了相反的结论。蒲列哈诺夫从社会诸关系底相类似以及类似的程度上肯定了一国所产生的文艺有移植到另一国的可能及其成功程度、变质程度，但到了向林冰先生，却把作为“根据”的“社会诸关系的相类似以及类似的程度”换成了“当作内在根据的中华民族**原有文艺形式**”，作为反对所谓“移植形式”的论据了。因而他不得不割掉前一节的后半段：

所以我们应该注意的事，不是讨论作品底完成底工拙，而是讨论什么在构成艺术作品底精神。拉司努的《亚基列斯》，像着谁呢？那是像着刚脱了野蛮状态底希腊人呢，还是像着十七世纪底侯爵——Talon Rouge——呢？关于《爱涅伊达》中底活动人物，那为奥加斯特时代底罗马人，是已知道的。固然，不能说所谓十八世纪底俄罗斯悲剧中底活动人物可以示给我们以当时底俄罗斯人。但是，依着这些人物是无价值的这一事，可以证明俄罗斯社会底状态。他们把俄罗斯社会底未成熟性示给我们。

这不就非常明白么？在模仿希腊古典悲剧的法兰西古典悲剧里面，它的人物并不是“刚脱了野蛮状态的希腊人”，而是“像着十七世纪的侯爵”；在模仿《奥迪赛》的《爱涅伊达》里面，它底活动的人物正是“奥加斯特时代的罗马人”；就是在模仿法兰西古典悲剧的十八世纪俄罗斯悲剧里面，虽然因为是出于“凡手”，不能使当时的俄罗斯人得到真实的反映，但它依然能够“把俄罗斯社会的未成熟性示给我们”。“不是讨论作品底完成的工拙，而是讨论什么在构成艺术作品底精神”的文艺学者就看见了：由于社会基础底相类似，一民族对于其他民族所产生的文艺形式底接受，正是因为它（形式）适合于反映自民族底生活现实的缘故。还有，第二个法则，从敌对的社会层所产生的形式脱离，和第一个法则相反对的法则：

> 作为对于这以前是支配的，但现在却失去了力量的社会层的体裁和风格的否定、的对立，特定的社会层形成了自己的体裁和风格。（V.M. 弗里契）

这里用不着举例。我们都知道，文艺史上每一新的思潮、新的形式底产生和繁盛，没有不是和前一代底思潮、形式作过了激烈的斗争。

由于这两个法则的说明，所以，“各个文艺上的体裁，从它底本质上判断，总是显示了和先它存在的体裁非常不同的新的性质。”（A.G. 柴伊特林）

到这里，也许要问了：为什么文艺形式底发展不能有它本身“内的”辩证法呢？是不是辩证法不能支配到这个领域呢？

我们可以尝试一点说明。

不是“存在决定意识”，“意识为存在底反映”么？

作为意识形态的文艺底发展，不能不服从这一原则；文艺本身底发展法则，只能是对于这一原则的从属。不是“和经济基础的变化一同，庞大的上层建筑全体就被缓慢地或者急激地变革”（《经济学批判》序文）么？就是被“急激地”变革，文化形式底崩溃也是在社会存在开始了没落以后，何况还有被“缓慢地”变革的场合。这就是所谓上层建筑底反作用，这就是为什么在上层建筑（文化形式）里面看到了历史的惰性和延长。而且，在文艺里面，**社会基础只有通过了社会心理（文化形式）才能够得到反映**，因而特定文艺形式底崩溃就远远地落在产生它的特定社会存在底崩溃后面。如果文艺创作是为了真实地反映现实生活，并不能抛掉这原则去意识地发展某一固有形式，那么，文艺的发展就不是用“**形式本身固有的**”内的辩证法**平行地**去对应存在底发展，而要采用“跳的路线”（向林冰语），新的文艺要求和先它存在的形式截然异质的突起的“飞跃”，这并不“完全是纯主观性的腾云驾雾的文艺发展中的空想主义路线”；它要求从社会基础相类似的其他民族移入形式（以及方法），这和“文化传播论”也没有任何共通之点。

如果说形式是内容底本质的要素，特定文艺形式底力学是特定社会层底力学——气氛、情调、作风、气派底反映，那么，新的文艺运动就有在世界观、内容一般底斗争之外，还得和作为形式本身的旧形式作斗争的必要，尤其是当旧的势力装出一个好像只反对新的形式，并不反对新的内容似的面孔的时候（如“五四”时代对于“白话诗”，现在对于自由诗的攻击），尤其是当旧的形式因为有了完成后的长的支配时期，形成了好像和内容无关的本身的优点似的时候（如有些人对于旧剧形式的拥护），尤其是当旧的形式装作愿意接受“批判”，愿意让出一点地位给“新内容”寄居的时候（如现在的旧瓶新酒理论），这斗争就更必要，也更艰难。这必要，这艰难，对于形式底“新质发生于旧质的胎内”的理论家，是既不能理解，也不会接受的。

但这也不是否认文艺形式有“变形”或“进化”的现象存在。不过“变形”或“进化”只有当社会基础在本质上没有发生变化的场合，市民小说底发展，中国封建诗底发展，“五四”新文艺里面的戏剧底发展，就是最大的例子。

> 诗底形式底发展，当生产上有了尖锐的移动的场合，或者一个社会层代替另一个社会层出现了的场合，或者由于外部的原因，在社会层底心理意识里面发生了本质的尖锐的变化的场合，就飞跃地前进。和这相反，当比较的安定支配着经济底基础，社会层底构造、社会层底心理意识没有显著地发生本质的变化和动摇的场合，诗的形式底发展就通过部分的变化，“进化式”地实现。（V.M. 弗里契）

一般文学史家所追究的文艺变迁，有的论者（光未然、巴人）所得出的中国文艺传统底“辩证法”，就是在后一法则所统制的现象里面兜圈子；“新质发生于旧质的胎内”的“中心源泉”论或者也是由这一现象所幻想起来的图案。兜圈子的脚兜不出圈子以外，“见树不见林”，没有法子看到文艺这个密林底全景，图案的眼钉在纸上，“空即是色”，根本没有意思看一看文艺这个密林是什么一个状况，因而弄成一幅在圈子里面找“民族形式”，在图案里面找“民族形式”的奇观了。

四　对于“五四”革命文艺传统的一理解

不懂或者拒绝了文艺发展底这一法则，在对于“五四”革命文艺传统的理解上就不得不陷入了不可收拾的混乱里面。

今日所谓旧形式与“五四”时代的所谓旧形式，并非同一物，当“五四”文学革命时候所否定的旧形式，是“文选妖孽”，“桐城谬种”，其作为新形式而提倡者，如《水浒传》、《西游记》、《红楼梦》、《儒林外史》、《三国演义》等章回小说以及作为民俗学、语言学、历史学资料而搜集的，如歌谣谚语、土腔小调、民间传说等，正是今日“旧瓶装新酒”的通俗读物创作上所要应用的“旧形式。”某些文学者常说：中国的文学革命，早已否定了旧形式，至今又主张旧形式的运用，是为开倒车的反动勾当云云，显然是粗陋的皮相观察。……（向林冰:《旧形式的新评价》）

这是当然的。既然“新质发生于旧质的胎内”，就不能不对于“新质”的“胎”努力地追求，不能不作出“‘五四’的否定传统旧形式，正是肯定民间旧形式”（周扬）的结论。然而，好像理论家自己也感觉到了这不能说明“五四”革命文艺在实践上所获得的内容，于是只好一方面把这作为“‘五四’时代的文艺史观”，加以积极的评价，说这是“‘五四’本格的立场”（向林冰语），说“尤其是当时的文学史观——民间文学为文学正宗的见解，给我们提出一个正确的指示”（方白），一方面从“大学教授、银行经理、舞女、政客以及其他小布尔的”（黄绳、向林冰）和“半殖民地的移植形式”（方白）这见解前进一点点，引用了上面引用过的蒲列哈诺夫底说明以后，说“中国新兴文艺在欧洲文艺影响底下而发展起来，是以中西社会状态相类似为基础而生的必然过程，在某种意味上，正形成了中国文艺发展中有机的一环”（向林冰:《大众化内容与通俗化形式》），说“那些作品尽了启蒙的作用，在我们这个半殖民地底知识分子群中培植了先锋队伍”（方白）。

这样地，既找着了“新质发生于旧质的胎内”的“本格的立场”，又在“某种意味上”对于这“本格的立场”容纳不下的“移植形式”表示了一点儿肯定，说它“正形成了中国文艺发展中有机的一环”。这是什么？不是理论的图画和现实内容中间所存在的矛盾底反映，就是为了固守这一图式而向反对者们布下的一个防御底伪装据点。

而反对者们，也果然在“新质发生于旧质的胎内”这个黑影前面感到了慌乱，甚至还把这个只说是表现在“文艺史观”上的“本格的立场”塞进了“五四”新文艺底实际发展过程里面。

中国新文艺，事实上也可以说是中国旧有的两种形式——民间形式与士大夫形式——

的综合统一，从民间形式取其通俗性，从士大夫形式取其艺术性，而益之以外来的因素，又成为旧有形式与外来形式的综合统一。（郭沫若:《民族形式商兑》）

郭沫若先生没有提出实际的说明，但并不是不能在别的论者底意见里面找出部分地和这意见相呼应的实际的说明:

我认为“五四”运动以来的新文学是旧文学底正当的发展。虽然由于中国旧文学的落后性，由于旧文学的形式有的被利用了千多年，有的被利用了几百年，大部分无法再利用下去，因此大量地接受欧洲文学底影响，它并不是斩钉截铁地和旧文学毫无血统关系的承继者。很明显地，初期的白话诗保留着浓厚的旧诗词的影响（如胡适、俞平伯、刘大白等的诗集），有些小说也没有脱离旧小说的窠臼（如扬振声的玉君）后来才在形式上更欧化而在内

容上更现代化，更中国化。这是一种进步。(何其芳:《论文学上的民族形式》)

但到了另一论者的笔下，就更具体地化成了“把章回小说改造成了更自由更经济的现代小说体裁，从旧白话诗词蜕化出了自由诗”(周扬:《对旧形式利用在文学上的一个看法》)。再经一个转手，论点就更加勇敢了:

“五四”新文学运动的初期，不但新诗还保留着旧形式的规律性，而小说如“五四”初期的作者扬振声、汪敬熙、俞平伯、叶绍钧等，都还或多或少地保存着旧小说的写法与情调。但是愈到后来，接受外来影响愈大，因此，也就逐渐地割断了仅仅保留着的一点痕迹了。(罗荪:《谈文学的民族形式》)

在何其芳先生，还认为“后来才在形式上更欧化而在内容上更现代化、更中国化”是“一种进步”，但到了罗荪先生，就勇敢地谴责“五四”新文艺“无条件地

（？——胡风）割断了历史的优秀传统，遮断了和人民大众的联系”，不胜惋惜慨叹之至了。至于其他的追随者（田仲济、光未然、陈鹏啸等）底意见，我想在这里都可以得到提要。

那么，我们不得不尝试一下“粗陋的皮相观察”了。

不错，“五四”文学革命运动，确曾提倡过《水浒》、《红楼梦》等“白话”章回小说，它底理论活动也确曾把“桐城谬种”、“选学妖孽”当作主要对象，但这里有几个问题。第一，文学革命运动是先通过文学底用语问题发难的，战斗者不能不向社会指出，被鄙视的“白话”（引车卖浆者流底言语）正可以而且已经写出了杰出的作品，第二，当时对阵的劲敌正是在朝的所谓“古文派”，因而不得不向“桐城谬种”、“选学妖孽”集中了火力，第三，这虽然只是打击敌人的、理论活动底一面，但这是依然包含有创作态度（“八不主义”，反“文以载道”）上的，文艺形式（反对模仿古人体裁）上的见解，第四，最主要的，在**建设的理论活动上**介绍了易卜生主义，现代短篇小说理论等；这都是和传统的文学见解截然异质的东西，不但和古文相对立，而且也和民间文艺相对立。所以，要理解“五四”的“文艺史观”，不能仅仅看它说出了什么，重要地还应该要看它反映了什么，要不然，就不会理解这个不过是古典主义者布伦涅契尔（F. Brunetiere）底进化主义形式论底末流的文艺史观何以在中国发生了战斗的作用；所以，它底“强调了民间文艺为中国文学的正宗”（向林冰）的见解，客观上只有为“白话”争支配权的意义；所以，“通过民间的白话形式表现反帝反封建的革命内容”（向林冰），“从旧民间形式中找出了白话小说，把它放在文学正宗的地位”（周扬），这“白话形式”、“白话小说”，都是没有任何理论内容的空洞说法：因为，所谓“白话”，不过是构成文艺形式的基本材料，当没有通过创作者底一定的观点、看法以前，只能是自然状态里的言语，一旦和创作者底一定的观点、看法，“五四”精神底民主的科学的立场结合了以后，就必然要成为一种新的形式了。事实也正是如此。

而且，对于一代文艺思潮，不能仅仅从理论表现上，更重要地要从实际创作过程上去理解；或者说，理论表现只有在创作过程上取得了实践意义以后才能够成为一代文艺思潮底活的性格。那么，我们可以说，“五四”“作为新形式而提倡者”，就决不是今天所说的“旧形式”。仅仅就所谓“初期”说罢，那代表的战斗的作家，像小说里面的鲁迅，诗里面的郭沫若、康白情、湖畔诗人等，为了内容上的突进的革命精神底要求，形式上也采取了一种崭新的前无古人的姿态，形式和内容相应地掀起了一个狂风暴雨似的、伟大的革命。“中国文化革命的巨人”，当时的急进派底代表者鲁迅自己，后来就有过亲切的表白：

> 在这里发表了创作的短篇小说的，是鲁迅。从一九一八年五月起，《狂人日记》、《孔乙己》、《药》等，陆续地出现了，算是显示了“文学革命”的实绩，又因那时认为“表现底深切和格式底特别”，颇激动了一部分青年读者的心。然而这激动，却是向来怠慢了绍介欧洲大陆文学的缘故。一八三四年顷，俄国的果戈里（N. Gogol）就已写了《狂人日记》；一八八三年顷，尼采（Fr. Nietzsche）也早借了

苏鲁支（Zarathustra）的嘴，说过“你们已经走了从虫豸到人的路，在你们里面还有许多份是豸虫。你们做过猴子，到了现在，人还尤其猴子，无论比哪一个猴子”的。而且《药》的收束，也分明留着安特莱夫（L. Andreev）式的阴冷。但后起的《狂人日记》意在暴露家族制度和礼教的弊害，却比果戈里的忧愤深广，也不如尼采的超人的渺茫。(《中国新文学大系小说二集·序》)

这一国际文学影响底产儿，它底“表现底深切”和“格式底特别”既不是偶然的巧合，也不是没有在中国社会基础上生根的、随便抓来的东西。中国启蒙时代底革命的人文主义者鲁迅底《狂人日记》，一方面，较之作为俄罗斯封建贵族底诤臣的小采邑贵族作家果戈里底《狂人日记》底“忧愤”，就要“深广”，表现了彻底地反封建的意义，另一方面，把反群众反集体的尼采底“超人”的个性主义底“渺茫”，“你们里面还有许多份是虫豸”，“人尤其猴子”，转变成了“暴露家族制度和礼教的弊害”（揭发“人吃人”的历史）的，号召群众起来争取个性发展的斗争。

这是一个典型的说明，在诗歌方面，在戏剧方面（幸喜还没有理论家主张话剧是从旧剧发展来的），我们正可以用同样的观点进行分析。

这虽然说明了“把章回小说改造成了更自由更经济的现代小说体裁，从旧白话诗词蜕化出了自由诗”这意见毫没有事实根据，但并不是否认当时有的诗人，如胡适、俞平伯、刘大白等，还“保留着浓厚的旧诗词的影响”，有的小说家，如杨振声“还没有脱离旧小说的窠臼”。不过，当我们注意到这一现象的时候，就应该同时理解到它能够取得的是什么意义。我们都知道，“五四”新文化运动阵营里面，原有彻底的民主革命和妥协的民主改良这两派，旧的形式底残留现象正是后者底社会基础和它在文化问题上的妥协性在文艺创作上的反映；反映到理论上，就是表现在“文艺史观”上的所谓“本格的立场”。依然占着优势的封建社会和封建文艺对于新文艺保有强大的压迫作用，这作用不能不反映到新文艺里面的脆弱部分底形式（以及内容）上面。这是每一新的文艺运动里面所附随的必然现象，它底意义是**负的**而不是正的；对于这一现象的脱离，正像何其芳先生底正确估计，是“一种进步”，虽然我们应该强调地指出，当时的**主潮**正是取了和这相反的方向。这只要看一看这些不能摆脱旧文艺束缚的作家，不但在当时没有发生过领导的影响，而且后来差不多完全走上了没落的道路，问题底意义就更加明显了。

所以，以市民为盟主的中国人民大众底“五四”文学革命运动，正是市民社会突起了以后的、累积了几百年的、**世界进步文艺传统**底一个新拓的支流。那不是笼统的“西欧文艺”，而是：在民主要求底观点上，和封建传统反抗的各种倾向的现实主义（以及浪漫主义）文艺；在民族解放底观点上，争求独立解放的弱小民族文艺；在肯定劳动人民底观点上，想挣脱工钱奴隶底运命的、自然生长的新兴文艺。“五四”新文艺从它们接受了思想、方法、形式，由那思想更坚定了被现实社会斗争所赋予的立场，由那方法开拓了创作上认识中国现实的路向，由那形式养成了组织形象的能力。在民主革命底实践要求里面接受了它们，使它们在民主革命底实践要求里面化成了血肉。作为基础或“内在根据”的，是活的社会诸关系，而不是“当作内在根据的中华民族现有文艺形式”。“五四”新文艺由这获得了和封建文艺截然异质的、崭新的姿态，内容上的“表现底深切”和形式上的“格式底特别”；这正是它能够成功了伟大的革命运动的所以。说它不“是从火星上跳下的形式”（方白），说它“和中国固有的文学传统划着一道巨大的鸿沟”（夏照滨），都是对的。

不懂或不肯接受这一理论，被“新质发生于旧质的胎内”拦住了路，“不把新形式的创造从旧形式简单地裁开”（陈伯达），要使它“和自己民族的文艺传统衔接起来”（光未然），就必然地一方面引出了说它是传统文艺底发展的，阉割了它底革命性的见解（何其芳、周扬、罗荪、郭沫若等），一方面引出了说它是“外砾”的“半殖民地的移植形式”，取消了它底公民权的见解（向林冰、方白等）。用对于鲁迅的评价为例罢。依前一见解，鲁迅底存在就远在杨振声、俞平伯等之下，在“五四”新文艺里面不能成为主导的力量，至多也不过被光未然先生找出了《阿Q正传》底“开篇法”（鲁迅自己后来所不满意的一段游戏文字）颇合乎“民族形式”罢了；依后一见解，鲁迅底伟大影响就没有什么必然的基础，成了一个“历史的错误”，虽然向林冰先生也许因为他“天才地肯定了”旧形式底利用，允许将功折过地把他底全部文艺战绩都划到这一笔账上。或者像陈伯达先生似地，从“特别是鲁迅底《呐喊》”里面，看出了“以我民族文艺家底聪明才力，是能够去创作出世界水准的作品来的”（《关于文艺的民族形式问题杂记》），完全放弃了科学的说明。

不懂或不肯接受这一理论，就不免要寻求非“民族”的“五四”新文艺底“失败”原因，或者说是“由于文学革命上的工作者是单纯的直接从先进国文艺教养中培养出来的新人”（向林冰），忘记了当时的代表作家鲁迅、郭沫若、郁达夫、周作人、刘半农等，正是把“情形看得分明”的“从旧垒中来”的逆子；或者说是“由于对立物内部矛盾的反拨作用，以致对于民族文艺遗产的继承或学习，采取了轻视与敌视的态度”（向林冰），对于正是“当时”的革命精神表示了否定，不自觉地替当时的以及其后的复古运动作了辩护。

但还剩有一个问题。

说"二十年来新兴文艺的发展，形成了一个非常复杂的概念；……它有反帝反封建的社会主义的现实主义的革命文艺，也有当作帝国主义及封建意识的反动文艺，如像所谓象征派、印象派、未来派、颓废派、文艺至上派等等新形式的作品"（向林冰），虽然他没有把这些派别底分类和派别性质底规定明确地告诉我们，但大旨却是对的。不过，事实上我们说到"五四"新文艺的时候，从未离开过文艺运动底立场，没有离开过反帝反封建的进步文艺这个心照不宣的含义，有时还特别用"五四革命文艺"或"五四革命文艺传统"和笼统的"五四新文艺"这说法表示了区别。

反帝反封建的现实主义的文艺，经过了二十年的发展，这发展都是通过文艺运动底大事变、大斗争（包含了对于新文艺自己阵营内的落伍或倒退现象的斗争）而达到的。创作、理论、大众化运动，这三个侧面底发展底**内的关联**，就形成了我们今天所说的"革命文艺传统"。显然地，在今天的情势下面，我们底任务是争取这一传统底高度的发展，而不是它底否定。不承认这一点，那就无论用了什么迂回曲折的说法，也不会“实在一点也没有抹杀‘五四’以来新文艺的革命传统”（向林冰），势非达到“这非民族的形式已成为文艺发展的桎梏”（黄绳）这一歪曲的结论不止了。

五　对于民间文艺的一理解

不懂或者拒绝了文艺发展底这一法则，就会对于民间文艺或旧形式（这里且不说所谓“传统文艺”或“士大夫形式”）发生“单相思”式的幻想，因而在对于它底理解上也不得不陷入了不可收拾的混乱里面。

这里也有一个公式：

> ……民间文艺，既不是纯粹的封建意识形态，又不是纯粹的大众的前进意识形态，而是在自己的内部存在着两个对立的契机或两个可能的前途底矛盾的统一物。（向林冰：《民间文艺的新生》）
>
> ……民间文艺的出现是封建社会自己矛盾的产物，民间文艺底抬头是封建社会自己炸

> 裂的指标；总之，他是封建文艺的对立物，而不是同一物，它是由未成向完成发展的幼芽，而不是由残余向死灭的残骸。（向林冰：《封建社会底规律性与民间文艺底再认识》）

向林冰先生自己这以前所说的民间形式只有“几点严重的缺陷”（《旧形式的新评价》），艾思奇先生所说的“旧形式并不仅仅是旧的，而且也有许多地方是很发展，很确当的”（《旧形式运用的基本原则》），以及其他的类似的理解（周扬、方白、光未然等），在这一公式里面算是得到了完整的理论表现。“新质”的“胎”居然被理论家找着了。

到这里，我们就需要看一看民间文艺底“两个对立底契机”或“封建文艺底对立物”实际上是什么情形。然而，限于材料也限于时间，这里只好就这一理论的坚持者向林冰先生所提出的例证来取得我们底理解。

先看一看从内容上、“社会背景的认识上”所分的三类（《封建社会的规律性与民间文艺底再认识》）罢。

第一类：“封建统治底巩固与存续，……需要将自身所必要的意识形态注输于人民大众。……这就使统治者群不得不于自己所熟悉的古文形式之外，采用民间白话的口头告白的通俗化形式，以期大众易于理解和欣赏。……”这当然是“纯粹的封建意识形态”，不在话下了。

第二类：“封建社会的失意官吏或落魄文士，每多对于封建统治的暴露、攻击与讽刺，……尤其在民间文艺中表现得最为露骨与具体。”作为实例，他举出了《水浒传》，刘时中的《端正好》，蒲松龄的《问天》词，贾凫西的《木皮鼓》词，说这些虽然“在本质上者还导不出革命的结论”，但却是“发自贰心的叛逆之音”。

后面三种里面的《问天》词，我能够读到了。在那里面，作者替封建道德底忠实履行者所受的不平待遇——如忠臣受害，孝子含冤，向苍天提出了质问，表白了他对于这些“战士”的一片真心。那么，这分明是“诤臣”的苦谏，决不是什么“发自贰心的叛逆之音”了。至于《水浒传》，向林冰先生自己就作过了这样的评价：

……即以封建叛逆著名的《水浒传》这一

农民革命的作品而论，其反抗的终极目的，也不外是使封建王朝的统治合理化。我常说《水浒传》的全部政治意义，在于下面两首山歌：第一首，是十五回“吴用智取生辰纲”白胜所唱：“赤日炎炎似火烧，田野禾苗半枯焦；农夫心内如汤煮，公子王孙把扇摇。”第二首是十八回“晁盖梁山小夺泊”阮小五所唱：“打鱼一世蓼儿洼，不种青苗不种麻，酷吏赃官都杀尽，忠臣报答赵官家。”前一首是反抗的动因，后一首是反抗的限界，所以梁山泊一百单八名好汉，结果达到于招安，是封建的艺术机构的必然归宿。……（《旧形式的新评价》）

这还能够是“发自贰心的叛逆之音”么？

第三类：“封建社会下被压迫被剥削的人民大众底自己创作，如像歌谣、谚语、歇后语、传说故事、俗曲土调、乡土剧等口碑文艺——特别富于反封建的意义，……”但作过了这样评价的也正是向林冰先生自己：

> 民间流行的小调山歌之类，多为和平时代或粉饰太平的作品，故其形式不为靡靡之音，即为苦闷的呻吟，而非表现战斗反抗的适切形式，其描写反抗者，亦多属封建权威的卫护，鲜有反抗权威的民主成分。……（《旧形式的新评价》）

连“反抗权威的民主成分”都“鲜有”，就更不论作为封建意识底对立物的、人权平等底个性主义（人本主义）和它底政治要求了。所以，这民间文艺底“基本来源”的第三类，即令是“封建社会自己矛盾底产物”，但我们依然找不到作为“封建文艺的对立物”是在哪里。

这只是少数的例子，而且用的是向林冰先生自己底说明，但我们却看不到“还未能发展到完成形态的民主革命文艺”。现代市民阶级勃起以前，几千年的中国文化史上，自然有反映劳动人民底梦想的、民主主义思想的成份，但一方面由于封建文化底强大压力，一方面由于创造民主主义底物质地盘还没有存在，这些成份不是摧毁了就是被阻留在梦想性的原始状态里面，没有能够发展成作为认识现实改造现实的、群众性的、科学性的、实践的思想体系或生活态度。所以，即使在历史上发生过多少带有民主要求的群众行动，但由于这一原因，不但被注定了溃败的命运，而且在文艺上也得不到民主主义观点的反映，甚至略略带有民主主义观点底要素底反映也很难被我们发现了。作为生活现实底反映的文艺，虽然是“封建社会下被压迫被剥削的人民大众底自己创作”，但客观上既没有民主主义的现实存在，主观上又没有民主主义的战斗观点，他们底不平、烦恼、苦痛、忧伤、怀疑、反抗、要求、梦想……就只有在封建意识里面横冲直撞，恰像追求光明的苍蝇乱碰在玻璃窗子里面；不但不能使那些“反抗的动因”得到合理的“归宿”，而且也不能使那些反抗的实际内容在历史真理底照明下面呈露出真相，因而封建文艺再也不能向前发展了。说民间文艺在走着下坡路（郭沫若），说民间文艺只有死灭的前途（葛一虹），正是反映了这一意义。

然而，当封建文艺（民间文艺）依靠着“历史的惰性”在发挥它底威力的时候，市民阶级作为一个强大的物质力量在中国土地上站了起来，以它为盟主的中国人民爆发了一个伟大的文学革命，从先进国累积了几百年的、一般意识形态上的和文艺上的民主主义的斗争经验里面，惊喜若狂地找着了能够组织他们对于现实生活的认识，能够说出他们对于现实生活的感应的、创作方法上的丰富的源泉。二十年来的文艺运动，就是为了实现民主主义的要求，为了和封建文艺（民间文艺）争夺读者的运动，说它“均和民间文艺的高扬保持着分进合击的友军协同的对立统一关系”（向林冰），只是一个没有事实说明也不能有理论说明的臆断。

那么，它底形式上的特征又是怎样的呢？如果“也有许多地方是很发展、很确当的”（艾思奇）不能算是说明，如果“民间的旧有艺术形式中底优良成份”（周扬）也不能算是说明，那理论家就不得不提出更具体的论点。

第一位依然是向林冰先生（《旧形式的新评价》）。他首先指出了民间形式底“几点严重的缺陷”：第一，是缺乏发展的观念的形式；第二，是反生产性的支配形式；第三，是缺乏反抗战斗的彻底性的形式；第四，是宿命论的大团圆的形式。姑不论这些“缺陷”是不是形式上的问题，也不论这说明是不是能够提示问题底内的关联，但他总算是从形式方面感到了民间文艺被封建意识底内容所规定了“宿命的”性格。但他接着又指出了“这只是真理的一面”，“另一方面又有其不可忽视的优点”。什么是优点呢？在他底意见里面我们看到了能够成为形式本身的特征的，有三点：

一、是群众性的（口头告白性的）形式；

二、是故事化的形式；

三、是直叙化的形式。

那么，从后面两点里面，我们又看到了“内容决定形式”这一法则的鲜明的实例，这些形式上的特征正是封建意识的内容所要求的、能够和它适应的表现手段。因为，“神机妙算的诸葛亮，常胜将军的赵子龙，统统是用具体的故事逐渐建造起来的人物”，这种“故事化”正是由于粗粗一看好像适得其反的、封建的认识方法（对于历史和人的认识方法）底观念性的结果：“叙述一件事物，必先照事物的原有顺序，依次叙述……而且每件事实，都要有因有果，有首有尾，……如新形式中的突然而来戛然而止的笔法，是绝无仅有的”，这种“直叙化”也正是在封建农村的社会基础上所形成的认识方法底限界，看人从生看到死，看事从发生看到结束，宿命论或因果报应的思想就是它底根源。至于“口头告白性”，那并不是封建的民间文艺所独有的，市民文艺和新兴文艺都采用了这个和人民取得联系的方式，因为，它底获得作为形式的特征，并不在于口头告白，而是在于怎样告白，告白了什么，把山歌小调和救亡歌曲一比较，事情就会非常明显的。

其次是艾思奇先生（《旧形式运用的基本原则》）。

> ……中国的旧形式并不离开现实，而是反映现实的一种特殊的方式、方法、或手法。这种手法的特点在于把现实事物底重要的方面作夸张的格式化的表现，这在旧小说和旧戏剧方面都有最明显的表现。在这种意义上，我们可以说旧形式不是写实的，而是（借中国画上术语来说）写意的。……因为它底夸张性，所以能够很强烈地反映现实，把它的要点放大，因此也就更有群众性。……

> 对于旧形式要把握的是它的“合理的核心”。它底强调要点，适度夸张的手法。……

和向林冰先生底说法相比较，这虽然显示了理论的追求，但依然有几个问题摆在我们前面。第一，这“强调要点，适度夸张的手法”（暂沿用艾先生底术语），从艾先生在前面说过新文艺主要地是接受了“外来的写实主义的形式”以及“形式的写实手法不能充分地反映抗战的现实”看来，分明被他认为是和现实主义（写实主义）对立的，至少是不能被现实主义含有的；和现实主义对立的，既不能被现实主义含有的“手法”，又怎样“能够很强烈地反映现实”,“充分地反映抗战的现实”？为什么“适度的夸张”非和“形式的写实手法”对立不可？第二，艾先生认定了旧形式底“格式化”，像“旧戏的不自然的脸谱，不合时代习惯的台步”是旧形式负的方面，主张我们“首先要酌量解放了它的一些生硬不化的格律”。但旧形式的“格式化”并不是这样简单的事情。就旧戏说，不只是“不自然的脸谱”和“不合时代习惯的台步”，连表现喜怒哀乐的动作、声调、甚至词意，都有着一定的“格式”，那不是特定环境下的特定形象底“新鲜活泼的”反映，而是通过它可以唤起**特定封建意识的情绪**的、象形文字式的符号。所以，即使“旧戏新编时我们取消了脸谱”，但仅仅这也还不能“还他现实的面目”，但如果去掉了一切“格式”，却又很少有什么留下了。这形式上的符号性（“格式化”），结合着内容上的固定性（封建的意识形态）和发源于特定生活基础的、观众底低的理解力所能生的反应，在艾思奇先生底眼里就幻化成了“适度夸张”，甚至变为“能够很强烈地反映现实”的“合理的核心”了。

所以，说“旧形式具有悠久历史，在人民中间曾经、现在也仍然是占有势力，这是中国封建社会长期停滞（？——胡风）及半封建的旧经济旧政治尚在中国占优势底反映”（周扬：《对旧形式利用在文学上的一个看法》），是非常正确的见解，只可惜它并没有得到胜利。提出了反对论点的，主要地依然是向林冰先生：

……在另一方面，民间形式由于是大众所习见常闻的自己作风与自己气派，由于是切合

> 文盲大众欣赏形态的口头告白的文艺形式，所以便为大众所习见乐闻，而成为大众生活系统中所不可缺乏的精神食粮。这也是无可否认的事实。(《论民族形式的中心源泉》)

这“无可否认的事实”使他得出了民间形式“另方面又是民族形式的同一物”的结论。就是周扬先生自己，提出了上面的正确见解以后，又忽跌进了这“无可否认的事实”的陷阱：

> ……要说明人民旧的爱好，不能以作品之旧内容正投合人们底旧的感情、心理、意识这个事实为唯一理由，旧形式为他们所熟悉、所感到亲切，因而容易为他们所接受，这一点有很大关系。(同上)

“大众所习见常闻”，“为他们所熟悉、所感到亲切”，这和“形式底能动性不过是用着特殊的形态表现发展过程底内容本身底能动性的东西”这一科学的真理没有任何共通之点，只能是对于“存在的皆是合理的”这一反动命题底呼应。发展下去，势非达到这个地步不止：

> ……无可否认地中国的读者大众始终还在《说岳传》、《薛仁贵征东》、《包公案》、《施公案》的势力之下。虽然那种形式不健全，那种内容是有毒的，却是千百年来中国土壤、中国水分的灌溉下长成的产品。所以它们是中国自己的、特别能发现中国民族色彩的。所以要建立小说底民族形式，我们不得不注意这种旧小说旧形式底感染力量。所以第一，对于旧小说中底某些手法，如刻划人底方法以及特别富于感动中国大众的词句，都该接受。……（夏照滨:《关于建立文艺的民族形式》）

说的是什么？第一，“形式不健全”，“内容是有毒的”却“特别能表现中国民族色彩”，第二，为了“旧形式的感染力量”，“不健全”的“有毒”的“某些”东西也“都该接受”。这叫做“饮鸩止渴”主义。

但民间文艺在大众中间的“占有势力”，却的确是“无可否认的事实”。如果“不能以作品之旧内容正投合着人们底旧的感情、心理、意识这个事实为唯一理由”，那么，我们可以这样说罢：**因为它不仅是反映了认识生活的封建观点，而且虽然是通过封建意识的世界感和世界观，但依然在某一限度上反映了民族底生活样相**。或者是民族底、大众底过去的生活（故事、乡土戏等），或者是大众底经验上的智慧（谚语、歇后语、格言、譬喻、寓言等），或者是大众底抒情表现（山歌、民谣、小调等），或者是关于宗教或迷信的神话（传说、乡土戏等）。这些，**本质上**是用充满了毒素的封建意识来吸引大众，但同时也是用闪烁着大众自己底智慧光芒的、艺术表现的鳞片的生活样相来吸引大众；正因为封建意识是**体化在生活样相里面**，所以，一方面封建意识底传布力就特别强烈，一方面即使意识上对于封建意识本身抱有反感，但依然能够透过它底曲折线多多少少地看到民族底或自己底生活样相，而不能不感到某种“亲切”。一切对于民间形式的幻想，都是由于不理解这一理论而来的。对于民间文艺的汲取，无论如何也不能不把握住这一个基点。

所以，现实主义的作家虽然应该深彻地研究民间文艺，但并不是为了要“运用”它底形式，而是为了要从**它得到帮助，好理解大众底生活样相，解剖大众底观念形态，汲受大众底文艺词汇**。前二者溶化到现实生活里面，得接受作家底一定观点（创作方法）底组织，成为创造新内容的题材，后者溶化到大众底口头语言里面，也得接受作家底一定观点（创作方法）底组织，成为创造和那新内容相应的新形式的**材料**。而且，不是为了**运用**形式，也不是为了**接受**内容，而是为了得到**帮助**，对于“现实生活”和“口头语言”的知识更加丰富，更加能够理解大众底**表现感情的方式，表现思维的方式，认识生活的方式**，就是所谓“中国作风与中国气派”。向林冰先生自己虽然引用过但却没有看懂的两段话，就可以和我们底理解印证：

> 普式金劝告青年作家研究简单的民间故事，以便认识俄国语言底特性。虽然在民间的创作中也有幻想，但在多方面的形式中，最后

> 地深刻地真实地反映出民众底真正的意见和要求。……
>
> 大家都知道，在十月革命后的几年内，列宁空出时间来研究俄国底语言。他有兴趣于民间底成语、俗话、故事，他指出对于研究劳动群众底期望和趋向，这些东西是有极大的价值。(《发扬“五四”时代的文艺史观》中所引）

这是为了要“运用”民间形式么？列宁没有“运用”民间形式创造过“民族形式”，固不用说，就是普式金，不但不是民间形式底“运用”者，而且是新形式底创造者，这一点，不“甘于盲目无知”的向林冰先生是应该知道的。

还有一个附带的小问题。向林冰先生又引据歌德底《浮士德》，莎士比亚底《罕姆雷特》、《奥德罗》等为运用民间形式的例子（《封建社会底规律性与民间文艺底再认识》)，然而，第一，丹麦底关于罕姆雷特的故事和意大利底关于奥德罗的故事甚至并不是莎士比亚本国底“民间文艺”，第二，作者只把那些故事当作题材，那题材经过他们底观点底镕铸以后，就成了新的内容也成了新的形式。这一点，不“甘于盲目无知”的向林冰先生也是应该知道的。

六　大众底“欣赏力”从哪里来，向哪里去？

“新质发生于旧质的胎内”的“中心源泉”论，除了在文艺史底法则里找根据以外，还在文艺和大众的结合上，即所谓大众底“欣赏力”上找着了根据。

这里也有一个公式：

> ……由于“存在决定意识”，所以“喜见乐闻”应以“习见常闻”为基础。这是争取文艺大众化——通俗化的根本前提。……
>
> 民间形式由于是大众所习见常闻的自己作风与自己气派，由于是切合文盲大众欣赏形态的口头告白的文艺形式，所以便为大众所喜见乐闻，而成为大众生活系统中所不可缺少的精

神食粮。……

当我们以自己作风与自己气派的民间形式为中国作风与中国气派的民族形式的中心源泉的场合，是意味着文艺脱离大众的偏向的彻底克服，而由大众习见常闻的民间形式底内部，通过大众存在与大众意识底矛盾，通过文艺内容与文艺形式底矛盾，通过大众性的文艺创造与大众性的文艺欣赏底矛盾，彻首彻尾在习见常闻与喜见乐闻的统一形势之下，配合着以大众为主体的抗战建国的政治实践底发展，创造出大众文艺的民族形式来。（向林冰：《论民族形式的中心源泉》）

“存在决定意识”，好的。然而，什么是“存在”呢？先行的文艺形式——大众所“习见常闻”的民间形式。但这“习见常闻”的民间形式又是从哪里来的呢？照这个理论推断起来，当然还是一种“习见常闻”的形式。那就文艺史上只能有一连串的“习见常闻”的形式了。向林冰先生虽然并不懂得实际的文艺发展史不能接受这种“和平转化”的公式，但也仿佛感到了有些说不过去，于是又偷偷地插进了补救的说明：

> ……文艺的欣赏力不是凭空来的，它在人民大众底生活存在中必先有其根据，这就是说，文艺中的典型或形象，不论它是批判底对象或理想底化身，必然是大众生活实践中所已经存在或可能实现的事物，必然使大众在其中能够看见了自己或自己底敌人，必然使大众能够从典型的活动中看见了自己底作风与气派，看见了自己把握底事物方法与变革世界的斗争方针，然后才能“喜闻乐见”，才能欣赏。总之，生活存在产生“习见常闻”，而“习见常闻”则又产生“喜闻乐见”。(《关于民族形式问题敬质郭沫若先生》)

这就用手巾盖着轻轻地掉了一个包，将“习见常闻”的文艺形式掉成“习见常闻”的“生活存在”，把文艺形式作根据掉成把生活存在作根据了。

然而，既然提到“大众生活实践中……可能实现的事物”，那就决不是“习见常闻”，第一个向理论家打耳光子的，正是理论家自己。

我们还愿意进一步尝试一点解释。

欣赏力，我们所应肯定的欣赏力，是从哪里来的？一方面可以是由于生活存在上的，甚至是文艺形式上的“习见常闻”，但另一方面却是生活存在里的、隐藏着的甚至是原来常常被大众自己拒绝的、战斗的欲求。前者必须服从后者，在后者底要求下面，被肯定或被否定。进步的文艺所评价的、所要求的、所应高扬的，正是后者而不是前者。对于大众底欣赏力的适应这一努力，应该服从反映生活真理的原则，只能在这一原则所能允许的限度下面进行，否则，从文艺底本质上说，就是解除武装，就是去势。

这会不会达到“文艺脱离大众”（向林冰语）的结果呢？我以为不会的。因为，欣赏者并不是被放在真空里面的机械，也不是只有生物学作用的、由无条件反射到条件反射的肉体，而是有实践的社会活动的、具体的人，有一定生活立场、生活欲求的人。欣赏，也并不是对于现实事物的受动的感应，而是对于现实事物的能动的作用。只要不能否定这一真理，只要表现在文艺里面的新的东西在大众底欲求里有合理的根据，不“习见常闻”的事物（在这里是文艺形式）不但能够成为“喜见乐闻”，而且正能够体现积极的任务，正能够“使大众在其中能够看见了自己或自己的敌人”，“使大众能够从典型的活动中看见了自己的作风与气派”不致变成空话。这正是“存在决定意识”这一原则底威力所在，这正是革命的文艺为什么能够起先驱的作用，这正是文艺之所以为文艺。只有从这一理解出发，才能够懂得为什么进步的文艺总得采取实践运动的姿态出现。伟大的现代哲人说，“新的社会观念和理论，既然已在社会底物质生活发展过程所提出的那些新任务底基础上产生出来，它们就给自己开辟道路，而变为民众所享有的东西，动员民众、组织民众去反对社会里正在腐朽的势力。……”如果把这里的“新的社会观念和理论”换成“生根在新的观念里的新的文艺”，它“给自己开辟道路，而变为民众所享有的东西”的结果是依然一样的。

不懂或拒绝了这一真理，就必然会达到这样的见解:"习见常闻，是特定历史实践中的感性认识或经验的总体"，而"除非先验主义的唯心论者，似乎不致离开感性认识的习见常闻而理解当作文艺欣赏力的喜见乐闻的成因"(向林冰:《关于民族形式问题敬质郭沫若先生》)。他底"感性认识"等于"经验的总体"，**过去的**经验底堆积，丢掉了对于新的事物或已有事物的新的感受或看法的、可能的**飞跃式的**反应，成为抽去了主观底能动作用的客观主义；他底"习见常闻，是随人民大众所创造的历史的发展而变化其内容的范畴"，那"创造"，既然丢掉了认识底能动作用，实际上是无法兑现的空头支票。他不懂，文艺，只要是革命的文艺，不但它里面的"可能实现的事物"不是"习见常闻"，甚至"已经存在"的事物也不是"习见常闻"，因为它得被新的感受新的看法体现出新的真理。也就是新的内容新的形式。不懂这一点，就终于形成了他底对于民间形式的投降主义的理论。他忘记了，能够和先验主义对抗的，并不是经验主义。这理论，势必要达到这样勇敢的判断：

在文艺运动上和在整个社会变革运动上

一样，抹杀了客观存在的规定性的主观主义的“跳”的路线，永远是使“英雄”变成“丑角”的动力的秘密！（向林冰：《民间形式的运用与民族形式的创造》）

到底是谁“抹杀了客观存在的规定性”呢？每一新的革命的文艺运动，都是由不怕这种死的“客观存在的规定性”的“丑角”们创造出来的。高尔基是的，玛耶珂夫斯基是的，鲁迅也是的！

从这里，第一，引出了对于“五四”革命传统的新文艺在大众觉醒过程（民族解放运动）上的影响力的“抹杀”：

我认为问题[1]的起源，不仅是因为新文学未能“普遍地”走入大众，而是因为新文学普遍地“脱离”大众，完全变成了少数近代化知识分子底专有品。（通俗读物编刊社：《关于旧瓶装新酒的创作方法座谈会纪录》中赵象

[1] 旧形式利用的问题。——胡风注

离底发言）

再一转，就变成了这样：

> 至于“五四”以来的新兴文艺形式，由于是缺乏口头告白性质的“畸形发展的都市的产物”，是“大学教授、银行经理、舞女、政客以及其他小‘布尔’的适切的形式”，所以在创造民族形式的起点上，只应置于副次的地位。……（向林冰：《论民族形式的中心源泉》）

这样一来，向林冰先生底“舞女”、“政客”，都变成了赵象离先生底“近代化知识分子”了。不顾事实的臆断终于“侮蔑”不了事实本身，连这一理论底坚持者之一也被逼着不能不表示了让步：

> “五四”以来的革命文学，给中国文学史留下了光辉灿烂的一页，……那些作品尽了启蒙的作用，在我们这个半殖民地的知识分子群

中，培植了先锋队伍。……（方白:《怎样创造文艺上的民族形式》）

话虽是这样说了，但好像说话的人并不觉得他底意见会推翻向林冰先生和赵象离先生底结论。既然承认了新文艺“尽了启蒙作用”，“培植了先锋队伍”，那就不能不承认新文艺“给自己开辟道路，而变为民众所享有的东西”的结果。因为，所谓“先锋队伍”，不能是孤立的存在，而是反映了一般（落后大众）所抱有的、有大的发展要求的趋向。是一般里面的特殊的东西。然而是新生的、向上成长的、“给自己开辟道路”的东西。既然是“先锋队伍”，那就一定会在大众中间发生“先锋”的作用，对于大众底欣赏力的渗透作用，而成为培养或诱发大众底欣赏力（文艺的认识方法）的源泉。只要不肯否认用发展过程或生长过程的观点来看问题，那就不能从形式逻辑底见地上用“知识分子在历史发展中的作用与地位，是从属于人民大众的”（向林冰）这理论作为抹杀先锋作用的根据。

事实也正是如此。“五四”革命传统的新文艺，它底基本读者不但不是“舞女”、“政客”，而且不是“大学教授”、“银行经理”，甚至也不是“其他小布尔”所能够包纳的。话剧拥有了多少大众？救亡歌曲拥有了多少大众？甚至被人嘲笑的小说和新诗，不但也在进步的工人、士兵甚至农民中间给自己开辟了道路，而且还从他们中间获得了作者。崭新的“街头诗”，对于反对者或怀疑者，据说也“至少有五十万人要把他们送进街头诗的反省院去”。如果我们还进一步考虑到新文艺二十年来直接间接地在国民精神改造的过程上所起的伟大作用，考虑到这些“先锋队伍”在民族革命战争中所占的神经中枢的地位，考虑到这些“先锋”的文艺势力具有着多大的潜在的发展力量……何况大众化运动还正是这个传统底内容之一？说“新文艺无论在其发生上，在其发展的基本趋势上，我以为那不但不是与大众相远离了而正是与之相接近的”（周扬：《对旧形式利用在文学上的一个看法》)，这正是非常正确的理解。

不懂这一伟大的历史真理，又不敢否认廿年来国民意识形态底飞跃的发展，于是只好造出“‘五四’时代新兴文艺的发扬，是与民间文艺的高扬相并行而确立起来的”（向林冰），不但抹杀了“五四”革命传统底基本规律，而且也和大众化运动底内容不相符合的理论了。

第二，引出了对于文艺底对象所发生的，理论上的错误理解和事实上的错误观察。

理论上的理解是什么呢?

> ……所有这一切的具体任务[1]，都要用旧瓶新酒的方法来完成其一部分——即以农村大众为对象的这一个重要的部分。（通俗读物编刊社关于旧瓶新酒的创造方法座谈会纪录中赵象离底发言）
>
> 民间形式和移植形式都是要死灭的形式，而谁为未来形式的“主流”，便由文艺的对象起着决定的作用。文艺的对象是大众（农民占绝对多数）。……（方白:《民族形式的中心源泉不在民间形式吗？》）

好一个文化上的文艺上的农民主义，民粹主义底死

[1] 抗战建国中的一切文化任务、文艺任务。——胡风注

尸又在我们底文艺问题上发散着香气了。农民底觉醒，如果不接受民主主义底领导，就不会走上民族解放的大路，自己解放的大路；因为，农民意识本身，是看不清楚历史也看不清楚自己的。所以，在农民底文艺欣赏力上，不能忘记穿进一条非农民的红线，以农民为对象的文艺，只要是文艺，也不能脱离现实主义的创作方法，由把握内容到创造形式的方法底支配。只看见“农民占绝对多数”就以为它会在文艺创造上“起着决定的作用”，因而向自然生长的民间形式或农民底欣赏力纳表投降，无论在民族解放或民族形式底创造上，即使不发生“拖住”的作用，但也绝对无从“完成”什么“重要的”“任务”。

事实上的观察是什么呢?

> 旧瓶装新酒的“反对论”在“民众的接受力和理解力上”，果然是有根据的么？据老舍先生云……“唱着‘起来！不愿作奴隶的人们’的大众，并不懂什么是‘奴隶’”！一位自豫东来的朋友云:“当地农民咸以‘最后关

头’就是‘井边’”（因为有人曾以“行至井边前途危险”为喻对农民解释“最后关头”一语的含义）；又一位政工人员云：“苏北鲁南的民众，看《抗战特辑》影片，只知是打仗，并分不出何者为日本兵，何者为中国兵。”这些事实，都确证出“反对论”的无据。（向林冰：《民间形式的运用与民族形式的创造》）

即使我们承认这些都是“事实”，即使我们不提起《义勇军进行曲》在千千万万的大众中间所掀起的鼓舞情绪的效力，即使我们不把那位解释“最后关头”的宣传员看做低能儿，即使我们不以为《抗战特辑》里面的日本兵和中国兵都戴着同样的帽子，穿着同样的制服，打着同样的旗帜，即使我们也同意大众都是蠢猪，但这里依然有一个极小极小的问题：为什么要把《抗战千字》课、《绘图抗战常识》的责任全都派给文艺？而且，文艺，只要是文艺，不能因为有应被克服的落后现象就用手枪打死自己（用“民间形式”说，就是上吊、跳水）。文艺，只要是文艺，不能对于大众底落后意识毫无进攻作用，通体都像甜蜜蜜的花生糖一样，连白痴都是高兴接受的。在这里，向林冰先生无法不变成鲁迅曾经指出过的，要求文盲、瞎子、色盲、聋子都能一律欣赏的文艺的“彻底”论者了。

这一切奇怪的论点是从哪里来的呢？如果在理论上找根源，那就是所谓“文化主义”。把文艺（文化）运动和实际的社会运动（抗战建国的民众动员民众教育工作）割开，以为只要有了“大众化”的或“民族形式”（当然是“旧瓶装新酒”的形式）的文艺，就天下大事完全解决了。

“不能设想，在现在的政治条件下，可以使大众化的事业有如何了不起的成就。”这是反对大众化么？小视了大众化么？不是的。因为，“为大众化的斗争，同为民主政治的斗争是密切联系着的”。无他，依然是“存在决定意识”这劳什子在作祟！革命的文艺工作为什么非得是一个运动不可，大众化运动为什么要和大众动员工作相辅而行，那道理就在这里。

不懂得这一点，就会用黑头底大喉咙骂别人是“等待主义”：

> 在这里，便导出了外因论的文艺大众化的理论，即在起点上将大众置于纯粹被教育的地位，通过了大众的被觉醒，然后才把文艺交给大众，而成为大众的自己的文艺，这种文艺运动上的民众阿斗论，实际上是要先提高大众知识，或先扫除文盲，然后再建立大众文艺的等待主义。（向林冰：《论民族形式的中心源泉》）

好一个“外因论”，法宝一现，“先锋队伍”底脑袋就轻轻地落了地。不反对大众识字运动，不主张应该把大众画一个椭圆当做鸡蛋的“习见常闻”的欣赏力为“起点”，让他们都“成为大众的自己的”仓颉，那向林冰先生底理论还不免是“将大众置于纯粹被教育的地位”的、“抹杀了客观存在底规定性的主观主义”的“外因论”了。

七　现实·内容·形式——以争取现实主义底胜利为中心

所有这一切错误的理论，都是由于根本不懂得现实主义，因而也就不懂得实际的文艺发展过程和当前的政治要求的结合道路而来的。由于这，虽然口口声声地说，“新民主主义的内容，民族的形式”，但实际地接触到“民族形式”的时候，就仅仅只抓住一个“形式”，完全忘掉了或者抽掉了“新民主主义的内容”。

什么是“新民主主义的内容”呢？一般地说，那不外是通过科学的世界观所理解的民族的现实。用民族统一的力量执行解放战争的半封建半殖民地的中华民族，一方面是以人民大众为基本力量，一方面是处在一定的历史时期上面，一定的国际关系里面。能真实地认识从来路而来、向去路而去的中华民族底现实的，是进步的科学观点，反映了从来路而来、向去路而去的、人类历史所累积下来的世界发展底法则的、进步的科学观点。“新民主主义的内容”所反映的，是民族的现实，然而却是通过进步的科学观点所理解的、在一定的历史时期上面、一定的国际关系里面的、有来路也有去路的民族的现实。这就是民族主义和国际主义的矛盾和统一。

在文艺上面，对象是民族的现实，方法是现实主义。从对象上说，要求具体的形象；从方法上说，要求科学的认识。由现实主义的方法出发，内容是体现在具体的形象里面的、科学的认识，形式是通过了科学的认识的、具体的形象。内容和形式，都要通过现实主义的方法才能够获得。这就是国际性和民族性的矛盾和统一，“新民主主义的内容”和“民族的形式”的矛盾和统一。

所以，“民族形式”，不能是独立发展的形式，而是反映了民族现实的新民主主义的内容**所要求的、所包含的**形式。既然是内容所要求的、所包含的，对于形式的把握就不能不从对于内容的把握出发，或者说，对于形式的把握正是对于内容的把握底一条通路。如果说现实底发展不能不通过人类主观实践力量，那么，对于内容（形式）的真实的把握当然得通过作为主观实践力量的正确的方法，那就是现实主义。

现实主义，是人类历史累积下来的科学的世界观反映在文艺上的特殊的面貌，所以我们应该积极地接受世界革命文学底经验。现实主义，是认识民族现实的导线，所以我们应该在具体的活的面貌上深入生活。前者是把握对象的方法，后者是被方法把握的对象。前者被融化在后者里面，使国际的东西变成民族的东西，后者被贯穿在前者里面，使民族的东西变成国际的东西。如果说，“新民主主义的内容”，是前者通过后者而给与的，那么，“民族的形式”，是后者通过前者而给与的。为了反映“新民主主义的内容”的“民族的形式”，原来是国际的东西和民族的东西的矛盾和统一的、**现实主义的合理的艺术表现**。它底提出，正是为了争取这一合理表现底发展。

在今天，在新的情势下面我们要求这一现实主义的合理的艺术表现**更向前进展**（并不是像理论家所说的，“是意味着一种新生的尚待创造的东西”），幸而有了一个坚强的现实基础：“五四”革命文艺底传统。这个传统，是接受世界革命文艺底经验来认识（表现）民族现实而形成的，也是通过民族现实底认识（表现）去融化世界革命文学底经验而形成的。在前一意义上的创作任务，反帝反封建的任务，依然用着英雄的姿态活在今天，甚至还获得了新的动力，广的而且深的内容；在后一意义上的创作方法，现实主义的方法，已经变成了统一在创作任务下面的、中华民族自己的血肉，虽然还正要更加健康，更加深化。

怎样把握这新的动力，获得这广的而且深的内容呢？不但要文艺运动生根在社会运动——政治的、经济的、文化的民众动员工作里面，使社会运动底客观内容成为文艺运动底主观内容，不但要创作实践生根在生活实践——政治的、经济的、文化的斗争里面，使社会的斗争内容化成作家底内的经验，而且要使作家在具体的活的形象上，在大众底表现感情的方式、表现思维的方式、认识生活的方式上，即所谓中国作风与中国气派上把握它们、经验它们、感觉它们。或者说，社会的斗争内容只有在具体的活的形象上才能够走进作家底内的经验；作家底内的经验非得是具体的活的形象就不能成为通过特定观点、特定战斗热情的、艺术加工底对象。这是由创作任务的加广、加深进到创作方法底更健康、更深化，但它底实际的过程却非得通过“五四”的革命文艺传统，把这个传统略作基础不可，因为这个传统正是在能够获得了的现实主义的方法上执行创作任务的、已有的战斗经验。

怎样达到更加健康、更加深化呢？不但要加强地接受经过了长期的发展而且在**急速发展着**的世界革命文艺底经验、现实主义的方法，从现实生活里面把握先进的思想的方法，在具体的活的形象上体现先进思想的、组成形式的方法，而且更使这方法变成**在实际战斗中的**作家自己底神经，成为一根导线，**能够**通过具体的活的形象，大众底**表现**感情的方式、表现思维的方式、认识生活的方式，即所谓中国作风与中国气派去把握、经验、感觉而且表现民族战争中的社会的斗争内容。方法是现实的反映，但一旦变成了主观的力量，就成为能够被接受的武器，反转来引导我们更广地更深地反映现实。或者说，现实主义的方法，只有用它来把握在具体的活的形象上的社会的斗争内容，才能够使作家底主观力量前进；在具体的活的形象上的社会斗争内容，只有通过现实主义的方法才能够在合理的道路上成为艺术加工底对象。这是由创作方法底更健康、更深化，达到创作任务底更广、更深，但它底实际的过程也非得通过“五四”底革命文艺传统，把这个传统当作基础不可，因为这个传统正是为了完成创作任务而接受了过来，并且变成了自己底东西的现实主义的方法所获得的战斗经验。把这个本质的方法上的内容看做“在中国文艺传统的发展上”的“异民族的（！ ）外来影响”（光未然），只能是“中学为体，西学为用”主义底再演。

“五四”传统，它已经变成了和争取解放争取进步的民族的现实发展过程结合着的、物质的力量；这个力量一方面在方法上继续而且加强地接受急激发展着的世界革命文艺经验底领导，走向被提高的路，一方面在对象上更深地更广地接受急激发展着的民族现实底培养，走向被丰富的路，由这来完成现实斗争所要求的任务。这任务是什么？通过“民族的形式”反映“新民主主义的内容”，为了反映“新民主主义的内容”而争取“民族的形式”。

我们说，“民族形式”本质上是“五四”的现实主义的传统在新的情势下面主动地争取发展的道路，那意义就在这里。一切脱离内容去追求形式的理论，在这里都要受到批判。

所以，从艺术创造底**活的内的过程**上说，“民间形式”的“中心源泉”论或“旧瓶新酒”主义本质上是反抗现实主义的，因为，它违反了“内容决定形式”的原则，把艺术的构造看成了外部的机械结构，使它变成了毫无有机的内容的东西，使形式（体裁）转化成了实体。抱这样的理论的理论家不懂，特定形式不能离开特定内容（**通过现实主义者作家底主观作用而被把握到的**）而作为外来的东西被作家“运用”；形式正是**和作家底主观统一着的**客观现实底合理的表现。因为是客观现实底合理的表现，能够被接受的形式或特定形式底能够被接受之点，须得是和“新民主主义的内容”相应的东西；因为是和作家底主观统一着的客观现实底合理表现，能够被接受的形式或特定形式底能够被接受之点，不能够是“瓶”，非得被作家认为是和他所把握到的客观现实底内的规律相应的东西，溶化到他底对于客观现实的全的认识过程里面，就不够在创作上起艺术的作用。为的是什么？为的是，形式总是特定社会层宣传自己底对于客观现实的认识的手段。在现实主义的立场上，国际革命文艺形式之应该被接受，民间形式之不能被机械地“运用”，就是因为这个道理。从这里就可以懂得：说旧形式以及民间形式底不能够发展，是由于“有的被利用了千多年，有的被利用了几百年，大部分无法再利用下去”（何其芳），是完全抛弃了理论内容的理解；而“由大众习见常闻的民间形式的内部，通过大众存在与大众意识的矛盾，彻头彻尾在习见常闻与喜见乐闻的统一形势之下，配合着以大众为主体的抗战建国的政治实践的发展，创造出大众文艺的民族形式来”（向林冰），只不过是一套架空的文字游戏。说“运用民间形式，不是为了形式，而是为了民间”（方白），话虽然是很漂亮的，但结果不会是为了民间，却只能是为了形式。

当然，在民族战争下面的、急激发展着的强大的新的现实内容，不但能够而且已经使一切旧的形式，民间的以至士大夫的形式得到复活的机会，而且，**在限定的意义上**，它们也多少能够发生应有的作用。郭沫若先生就已经指出过:“在目前我们要动员大众，教育大众，为方便计，我们当然是任何旧有的形式都可以利用。不仅民间形式当利用，就是非民间的士大夫形式也当利用。用鼓词、弹词、民歌、章回体小说来写抗日的内容固好，用五言、七言、长短句、四六体来写抗日的内容，亦未尝不可”(《民族形式商兑》)。但这里却埋伏着需要解释的问题。第一，这些形式底复活，只是由于强大的新的内容底压迫作用而发生的迎合现象，它们底“抗日的内容”不但在复杂性（也就是真实性）上有绝大的限界，而且多多少少得接受和旧的意识结合着的旧形式底能动性底歪曲作用，到了一定限度或一定时期就要转化成反对的东西，看一看今天的一些“抗日的内容”的旧剧或鼓词等，当不难明白；第二，对于新的现实主义文艺，这些形式虽然多少能尽一点开路的作用（我们只是在这一作用底限度上来谈利用或采用的问题），但本质上却是尽着抵抗的作用，愈发展这抵抗作用就愈加强大，所以我们要坚决地为着加强加广新的现实主义文艺的先锋的主导的作用而斗争，使这些复活了的旧的形式达到合理的消灭。说这些形式底复活是“一时的权变”

（郭沫若），虽然不是一个理论的解释，但我们应该看出它本质上和“实用主义”的区别。

所以，说“民族形式”底创造应以“民间形式”为“中心源泉”的理论固不用说了，就是说“批评的（批评的？——胡风）运用旧形式，已经成立了（成了？——胡风）克服目前危机的最中心的问题”（向林冰:《旧形式的新评价》），说“历史的每一个时期都有它的中心急迫的任务，而在今天，这样的任务在文艺界正是在于要把握旧形式”（艾思奇:《旧形式运用的基本原则》），说“话剧大众化在今天必须是民族化，主要地是要它把过去的方向转变到接受中国旧剧和民间遗产这点上面来”（张庚:《话剧民族化与旧剧现代化》），说“为了承继并发扬民族文艺的优良传统，为了找出传统文艺的发展规律，以便于加速完成民族形式的新课题”（光未然:《文艺的民族形式问题》），也都是绝对有害的理论，非彻底地得到肃清不可。因为，对于现实主义的“五四”的革命文艺传统，这些理论虽然有的（向林冰）不敢明白地否定，有的（张庚）只是不能指出它底本质的积极意义，有的（艾思奇、光未然）甚至还在“新质发生于旧质的胎内”的理论上网开一面，把它也收容进“民族文艺传统”里面，但实际上却都替“半殖民地的移植形式”（方白）、“这非民族的形式已成为文艺发展的桎梏”（黄绳）等歪曲的见解准备了理论基础。在他们，虽然也口口声声谈到现实主义，甚至还说什么“运用旧形式来表现革命的现实主义”（赵象离），或者“把现实主义归还给我们的民族文艺传统”（艾思奇），但他们底现实主义只不过是被抽去了神经和血管的、死的东西。

我们反对作家从民间文艺甚至传统文艺里面去学习么？不是的，不但不反对，而且认为，在今天的“民族形式”创造里面，它是一件很重要的工作。由于现实主义已经建立了坚实的基础，也由于现实生活底强大的进步的内容给予了“定心作用”，作家们或强或弱地具备了抗毒力量，能够而且应该从民间文艺以至传统文艺里面汲取营养。这一工作底提出，不是由于否定“五四”底反抗旧传统的精神（像许多论者对于“五四”运动的责备），而是由于肯定今天底能够消化旧传统的力量。怎样汲取营养呢？从它们得到帮助，好理解中国人民（大众）底生活样相，解剖中国人民（大众）底观念形态，汲收中国人民（大众）底文艺词汇，好更加能够把握他们底表现感情的方式、表现思维的方式、认识生活的方式，就是所谓中国作风与中国气派。一方面，它们只能是作为理解现实生活的帮助，另一方面，它们得被溶进以现实主义的方法为基础的、作家底全的认识过程里面，被组织、被改造；甚至应该从它们里面汲取的、闪烁着中国人民（大众）自己底智慧光芒的、艺术表现底鳞片，也必得如此。从它们里面看到的、中国人民（大众）底不平、烦恼、苦痛、忧伤、怀疑、反抗、要求、梦想……以及表现它们的方式，必须溶积到现实生活里面，通过作家底主观作用——现实主义的方法，才能够呈现出真实的面貌而取得思想力量或艺术力量，创造新中国的乐观主义的思想力量或艺术力量。只有这样，从它们汲取来的东西才能够在**作品底有机统一、艺术的完全构造**里面放出光彩。从民间文艺以及传统文艺里面汲取营养，正是为了克服它们，为了创造新的内容和新的形式。

我们反对克服新文艺底缺点么？不但不反对，而且认为今天的“民族形式”底提出，正是为了达到这一任务。由于现实主义取得了能够更真实地把握（认识、表现）现实生活的力量，也由于现实生活底强大的活的面貌能够使现实主义前进，作家们能够而且应该在艺术底创造力上争得进一步的加强。这一任务底提出，不是由于否定接受国际革命文艺底经验或方法（像许多论者底反对或轻视），而是由于肯定国际革命文艺底经验或方法在今天更能够化成我们自己底血肉。怎样化成我们自己底血肉呢？一方面要在实践的斗争要求上加强地接受国际革命文学底经验或新的发展，使我们底方法更健康、更深化，更能够引导我们把握（认识、表现）民族的现实，一方面，要深入活的现实里面体认现实主义的方法，使现实主义的方法更能够在它底合理道路上得到反映以至提高现实生活的作用。只有这样，现实主义的方法才能够成为创造作品底有机统一的活的形象的力量，才能够使国际的东西通过民族的面貌，也就是所谓“新鲜活泼的，为中国老百姓所喜闻乐见的中国作风与中国气派”而出现。克服新文艺底缺点和提出“民族形式”，并不是要丢掉新文艺，或者用另外一种东西来代替新文艺，而是要使新文艺更健康、更发展。

以现实主义的“五四”传统为基础，一方面在对象上更深刻地通过活的面貌把握民族的现实（包括对于民间文艺和传统文艺的汲取），一方面在方法上加强地接受国际革命文艺底经验（包括对于新文艺底缺点的克服），这才能够创造为了反映“新民主主义的内容”的“民族的形式”。

> 文艺的民族形式，一方面需要从民间文艺以至民族古典文艺中洗练出多量的优秀语言、语法、色调（？——胡风）、笔法（？——胡风）、调格（？——胡风）等等，同样也需要从外国的古典文艺中吸收多量的作法、章法、体裁等等，也需要从“五四”以来新文艺优秀作品中继续发扬其作风。这些都同样是民族形式的源泉。这里很难得分别出谁是中心谁是非中心。（潘梓年：《继承“五四”的革命传统开展新民主主义的文化》）

这不但丢掉了作为形式底物质基础的民族的现实生活，不但因为要反对“中心源泉”的说法反而找不着问题内容底合理的关联，而且把“作法、章法、体裁等等”代替了现实主义的方法，**作为生活认识方法底一形式的**创作方法，把内的东西化成外的东西，或者把内的东西和外的东西混为一谈了。

那么，大众化到哪里去了呢？是不是不要大众化呢？也不是的，不但不是不要大众化，而且也正是为了大众化底发展。在本质的意义上说，现实主义的文艺正是大众化的文艺，在活的形象（中国作风与中国气派）上真实地反映了民族现实的文艺才能是为大众的而且被大众享有的文艺。民族形式底内容就是大众化底内容，说“艺术的单纯性正是最高的艺术标志之一”（周扬），是非常正确的见解。在特定的意义上说，现实主义的、民族形式的文艺固然要争取大众化的方向，而和大众底现实认识底深度相应的启蒙的文艺也要争取现实主义的、民族形式的完成，但目前的人民大众底文化生活底差异使艺术力高的文艺和宣传力广的文艺还只是一个统一的对立，后者能够推进到前者，前者也能够推进到后者，说“这两者不是统一于一篇作品中或一个作家身上，而是统一于整个文学运动中”（以群），在这个意义上说也是不错的。新的革命的文艺底胜利，并不是一天能够得到，须得在和社会发展过程相应的不断的斗争里面争取发展，在和现实基础相应的能够“同归”的“殊途”上争取发展。丢掉了这一个观点，马上要求每一篇作品都同样地被一切读者“喜见乐闻”，做不到就反转来枪毙艺术力高的文艺，那是把大众化看成一种超物质的过程。抽去了大众化是在斗争中争取发展的这一意义，实际上就等于取消了大众化本身。

八　通过语言问题——文字改造和大众的国民文艺底发展

然而，形式底形成得通过具体的媒介、材料，在文艺上就是语言。现实主义的方法所把握到的、民族现实底活的具体的形象，生活方式上的中国作风与中国气派，非通过活的民族的语言（文字），语言上的中国作风与中国气派，就不能在形式上取得表现。

什么是活的民族的语言呢？要能够反映国民（大众）生活底内容、底色泽、底韵律，也就是能够在国民（大众）底表现感情的方式、表现思维的方式、认识生活的方式上，或者说在具体的活的形象上反映民族的现实。现在的普通话（白话），虽然是基础的部分，但并不能单靠它完成这一任务；民间文艺以至传统文艺里面可能采取的语汇和语法，虽然可以是一个补助的来源，但不能单靠它来完成这一任务。它本质上非得是国民（大众）底口头语言底纪录、选炼和提高不可。这就是大众语运动所提出而且在原则上解决了的问题。

然而，语言问题，基本上也是和现实主义有机地关联着的。一方面，新文艺底白话和民间文艺以至传统文艺里面可能采取的语汇和语法，只有在被现实主义允许的限度下面和国民（大众）底口头语言结合，或者说，它们只有经过现实主义底组织，能够在国民（大众）底口头语言里面保有生命或可能争取生命的场合才能够在文艺创作里面得到生存的权利。另一方面，国民（大众）底口头语言，非经过现实主义底选炼和提高，也不能在文艺创作里面获得高的艺术力量。

不把握住这个基本观点，就难免发生下面似的几种理解。

第一种理解，把民间文艺以及传统旧文艺里面的旧的修辞法当做创造民族形式的基本语言。例如光未然先生，一方面根本地把国民（大众）底活的口头语言丢掉不要，一方面把叠字格、重句格、双关语看成了至宝，说这些或者有“非凡的妙用”，或者“正是中国语言文字的特殊性之特殊的发展”，“运用这样的语言，是会使文章增加民族性和艺术性的”。他不懂，这样的语言正是封建生活情调底反映。像双关语和重句格，就成了完全的文字游戏；所谓“中国语言文字的特殊性之特殊的发展”，原来不过是单音的方块字被封建意识摆布得淋漓尽致的最典型的例子。他底“民族性”，只是封建生活情趣底借尸还魂，并不是在战争炮火下面的民族现实底活的反映，这也许出乎他底意料之外吧。

第二种理解，以为既然要的是活的口头语言，那就完全模仿文盲大众底口头语言好了，这样一来，就自然地民族化也大众化了。这是对于语言底落后性——自然生长性的投降理论。虽然主张民族形式底“中心源泉”是大众语言（陈鹏啸、田仲济、长虹等）这素朴的理解不一定包含有这种倾向，但在新文艺里面，尤其是在大众化问题被提出以后的新文艺里面，这一倾向原是鲜明地存在着的。关于这，鲁迅就提出过警告：

> 在乡僻处启蒙的大众语，固然应该纯用方言，但一方面仍然要改进。譬如“妈的”一句

话罢，乡下是有许多意义的，有时骂骂，有时佩服，有时赞叹，因为他说不出别样的话来。先驱者的任务，是在给他们许多话，可以发表更明确的意思，同时也可以明白更精确的意义，如果也照样地写着“这妈的天气真是妈的，妈的再这样，什么都要妈的了”。那么，于大众有什么益处呢？（《答曹聚仁先生信》）

为什么要“改进”呢?

要大众懂是一回事，“迎合”口语（班菲洛夫语）又是一回事。迎合口语只会照原地写下一些大众底话，而要大众懂的目的却是向他们传达一种生活里的真实，这需要在口语里面选择出最确实的表现才可以做到。艺术家底目的不仅仅是要大众懂得他底话，他须得“从活的语言底自然力的奔流里选择出最正确的、妥当的、最有意义的言语”（高尔基）来表现出藏在他们底生活里面的、他们能够懂能够感应然而却不能够明确说出的东西。所以，所谓言语底“聪明的单纯性”（班菲洛夫语），它要求明确、丰富，然而决不能简单、芜杂，像大众在口头上随便说的一模一样，因为它是经过作家底选择和组织作用得来的。（胡风:《张天翼论》）

如果把“要大众懂”换上或者加上“要在具体的活的形象上反映民族的现实”，那在这里所触到的、对于口头语言的选炼和提高作用（“选择和组织作用”）就更为必要了。所以，像说话体（例如“讲演文学”），虽然可以是大众化的形式之一，但如果要用它来解决“民族形式”问题，就必然会得到文艺倒退的结果。这只要想一想连大众自己底自然诗，像山歌小曲之类底语言也都经过了怎样的艺术洗练作用，情形就会更加明白的。

第三，由于迷恋旧的文艺用语，也由于迎合口头语言，于是就不能不产生了所谓反对欧化的理解。欧化，如果是不顾客观可能性的、纯主观的强迫输入，自然应该反对，但如果是为了反映现实生活里已经存在的或正在萌芽的东西，能够被容纳到语言底有机统一里面，那就不但不能反对，反而是应该加强推进的了。其实这是十年前已经解答了的问题：

……现在的文学家、哲学家、政治家，以及一切普通人，要想表现现在中国社会已经有的新的关系、新的现象、新的事物、新的观念，就差不多人人都要做“仓颉”。这就是说，要天天创造新的字眼、新的句法。实际生活的要求是这样。难道一九二五年初我们没有在上海小沙渡替群众造出“罢工”这一个字眼吗？还有“游击战”、“游击战区”、“右倾”、“左倾”、“尾巴主义”，甚至于普通的“团结”、“坚决”、“动摇”等类……这些说不尽的新字眼，渐渐地容纳到群众的口头上的言语里去了，即使还没有完全容纳，那也已经有了可以容纳的可能了。讲到新的句法，比较起来困难些，但是，口头上的言语里面，句法也已经有了很大的改变、很大的进步。只要拿我们自己演讲的言语和旧小说里的对白比较一下，就可以看得出来。可是，这些新的字眼和句法的创造，无意之中自然而然地要遵照着中国白话的文法公律。凡是“白话文”里面违反这些公律的新字眼、新句法，——就是说不上口的——自然淘汰出去，不能够存在。（J.K：《关于翻译的通讯》，《二心集》所载）

虽然我们应该提出新文艺里面有一些主观性的欧化现象，必须克服，但在伟大的民族战争一般地使民族现实急激地发展，因而国民（大众）底文化意识也飞跃地发展的今天，我们所要求的“欧化”正是新生的“民族的”语言底成份，能够而且应该成为创造民族形式底活的语言底性格之一。

我们说，为了反映“新民主主义的内容”的“民族的形式”底语言，非得是国民（大众）底口头语言底纪录、选炼和提高不可，那意思不外是，在被选炼和被提高的要求之下，国民（大众）底口头的活的语言才是我们底文艺语言底基本的来源。

这就归结到了大众语运动所提出的课题：由高度的多元的发展（方言文化、方言文艺运动）争取一元的统一（未来的民族统一语文和国民文艺），那前提的工作就是实现口头语言拼音化的新文字。要作为文艺形式底基本材料的语言（文字）能够使国民（大众）生活底内容、底色泽、底韵律，像它们本身那么丰富地得到反映，就得使国民（大众）底口头语言能够照原音一样地在纸面上纪录出来。由于大众的统一的国语还没有形成和方言语系底分布状态，新的文字就必得是多元的发展，一方面是大众底为了反映生活、认识生活的文化斗争过程的，另一方面也是统一的国语底为了能够综合国民（大众）底口头语言的创造过程的、多元的发展。在文艺上，就是采取方言文艺或地方文艺的形式。发展小民族底语言和文艺，也是统一在这一个原则下面。

然而，在今天，这个多元的发展还有更根本的现实基础。由于各地的政治和社会经济发展底不均衡，也由于敌人底力量只能采取占领战略据点的战争局势，于是我们除了大后方以外（当然这里也有和方言区相应的地方文艺运动），全国地保持而且发展了一些独立作战的军区和无数的游击根据地。在这些军区和游击根据地里面，由于原有的从政治和社会经济发展底不均衡而来的文化发展底不均衡，更由于动员大众、提高大众底认识的迫切的任务，文化（文艺）工作就不能不采取和当地的实践要求相应的、独立作战的形式。“……如果说能够独立作战的军区或根据地主要地是被交通线和地形（山脉或河流）决定的，和社会经济底发展状况尤其是和方言语系底分布大体上能够相应，那么，地方文化底发展前途就更加远大了。”（胡风:《论持久战中的文化运动》）

实际上各军区各根据地内的文化（文艺）工作底发展情形，尤其是可能发展的远大的前途，就可以替我们底理解作证。当然，前提的工作，大众口头语言拼音化的新文字工作还没有实现（除了极少的例外）；当这一工作全面地实现了的场合，文艺就更能够深刻地全面地和实际斗争结合。怎样结合呢？它底为战争服务，不仅在于敏捷地被统一在动员大众、教育大众的斗争过程里面，而且在于能够最大限地最新鲜活泼地在活的语言上，即中国作风与中国气派上反映现实生活，能够最大限地最高速地达到被大众喜闻乐见，被大众享有的结果。

到这里，我们看到了“大众化”底全面现实过程向“民族形式”的真实的统一。当然，这本质上只是在文艺语言这一点上的统一，但内容上的或方法上的统一非通过这一点上的统一就不能够达到。

但这只能是问题内容底一面。我们还有以“普通话”为基本来源的文字，白话，“五四”新文艺底语言，我们不应也不能把它抛弃。因为，它不但创造了和二十多年来的民族斗争过程相应的“民族形式”的作品，建立了一个伟大的传统，不但是千万的多少有文化生活的国民所共同享用的文字，而且，它底基本的语汇和语法也是大众口头语言底基础的部分。它应该不断地受到方言底补充，汲收优秀的成份，逐渐丰富，更加能够反映活的生活样相；也应该不断地给方言以补充，输进方言底自然生长性所缺少的成份，给以提高的作用，使它（方言）来和自己汇合。战争发生以来，这一过程就可以看到一点，虽然还只是在极初步的情形下面，本质上没有得到什么收获。它是大众的统一的国语底雏形，也应该被拼音化，能够在和方言的交流里面争取发展。

这样的白话，只要能够不断地汲收活的语言成分，就比到现在为止更能够反映民族的现实，使文艺作品在文字形式上也更能够形象地表现出民族的活的生活样相，也就成了民族的形式。尤其是因为它底全国范围的流通性和本身组织底复杂、严密，就更适宜于艺术力高的创作，但既是用着进展到了高的组织形态然而却是活的语言所反映的活的民族现实，也就依然能够被文化生活较高的大众所喜闻乐见、所享有。它是大众的国民文艺底先驱，强有力地把“五四”革命文艺和国际革命文艺底经验接受过来而且消化在创作实践里面，作为在创作过程上认识生活的武器，也作为大众化的文艺或方言文艺底领导。不过，在这一方面，由于主观、客观的条件和读者底修养习惯，全部拼音化大概一时难得实现，但夹进不能用方块字写出的新的或活的语汇底拼音字，却是绝对必要的。

那么，我们就不难看到方言形式的文艺和现有的白话形式的文艺底对立的然而是相辅发展的前途。前者得从当前的大众底斗争需要和文化水准出发，主要地是小的形式，但也要尽可能地接受现实主义，随着政治经济底发展，随着大众底文化意识底发展，将逐渐地接近后者，成为后者底前阶段的（方言已被扬弃的场合）或同质异形的（方言未被扬弃的场合）存在。后者底艺术方法不断地领导前者，使前者向高的艺术形态前进，同时也要从前者汲取营养，内容上的和文字形式上的营养，逐渐丰富自己、改造自己，随着政治经济底发展，随着大众底文化意识底发展，逐渐地达到完全被大众喜闻乐见，被大众享有的结果。这是一个长期的艰苦的斗争过程，是克服种种错误的文艺观的理论斗争过程，也是争取物质基础的社会斗争过程，但大众的国民文艺只有通过这条道路才能够得到现实的民族斗争所要求的那样伟大的发展。

从这里，我们又一次地看到了：旧形式或民间形式，不但不能是民族形式底“起点”，而且也不能是大众化形式底替身。当然，在小形式的方言文艺里面，流行在当地的某种民间文艺底形式，可以被批判地利用，甚至初期是在绝对的优势上被利用，但那只不过是“探求新形式”的一个途径，不但不能否定多样的大众化的新形式的创造，而且这利用本身要坚决地站在“变革”（鲁迅）的立场上面，使内容“争取支配的地位”，把那形式打碎，使它得到“蜕变”的结果。它底蜕变程度决定它底和文艺创作的接近程度。然而，这个简单的内容对于简单的形式的占领作用，虽然可以产生启蒙的效果，但在今天看来，很难有发展为“较高的艺术”的可能吧。因为这个占领作用既不易成为现实主义的内的创作过程，而新形式底创造力又能够从民间文艺里面汲取一切应该汲取的东西。说“这工作是决不如旁观者所想的容易的”（鲁迅），或者正是由于这一预感吧。

因而我们不能同意“专为一般大众所写的，即通俗化的，以旧形式为主”（周扬）的见解，因为他不但模糊了艺术力高的新文艺对于大众化的领导作用，而且也就不懂这领导作用是表现在大众化的新形式底创造上面。如果“以旧形式为主”，那他和“从来的新文艺”的“互相补充，互相渗透，互相发展，一直到艺术与大众之最后的完全的结合”（周扬语）就不是能够实现的活的过程而是纸面上的图式了。

因而我们更不能同意把民族形式还原为大众化或通

俗化，而大众化或通俗化是“……在某种角度上，呈现了艺术的低降；然而文艺通过这向政治的实践，它获得了实质上的提高”（黄绳、向林冰）的见解，因为，仅仅就大众化的作品说吧，虽然它所能表现的一般地是比较简单的内容，它底形式一般地也能够向高的形态发展，但特定的作品却依然要求和**那内容相应的完全的**艺术表现，不是什么“艺术的低降”；而且，这只是文艺斗争底一个方面，得从属到文艺运动底总的过程里面，更不是什么“艺术的低降”。要不然，就不会实现“通过这向政治的实践”，更不会“获得了实质上的提高”了。

九　从民族解放运动看文艺运动·从文艺运动看民族形式问题

所以，我们所要求的文艺，现实主义的文艺，“五四”革命传统主动地争取发展的文艺，替民族革命战争服务的文艺，为了反映“新民主主义的内容”的“民族的形式”的文艺，它底内容要随着现实斗争底发展而发展，它底形式也要随着现实斗争底发展也就是内容底发展而发展。“民族形式”，是在不断的发展过程上面。我们所要争取的固然也在于它底某一完成，但尤其在于它底不断的发展。

不能把握住这个基本的观点，就会脱离现实的客观基础，而从主观的幻想或计划上来看问题。

第一个幻想是，虽然他们自己也说不出明确的轮廓，但却在观念里面立下了一个完成了的“民族形式”，说以前和现在都还没有存在过，是一种尚待创造的东西（向林冰、方白、光未然等）。这样的幻想是使人焦躁的。有趣的是，不知道是因为对于民间文艺或旧文艺的拜物情绪呢还是因为对于新文艺的先天敌意，焦躁的结果就反而把这从前和现在都还没有存在过的“民族形式”变成了从前存在过现在也存在着的民间形式或旧形式底借尸还魂。这样的幻想家们不懂，民族形式是由于活的民族斗争内容所决定的，能通过具体的活的形象，即中国作风与中国气派成功地反映了特定阶段的民族现实，就自然是民族的形式。就鲁迅说吧，虽然受着他自己曾经慨叹过的文字上的限制（《坟》底后记），但却在被限制的文字底最大限度上通过深刻的现实主义的方法写出了特定时期的中国人民底典型，因而他底形式不但是他底文学斗争时代的民族形式，而且，在创作意志和斗争意志的深刻结合上，在人物底现实性和典型性的高度的统一上，也就是思想力和艺术力的高度的统一上，正是现在的以至将来的文艺形式底典范或前驱。没有形式上的成功，就不会有反映真理的文艺斗争任务上的成功，说鲁迅底形式不是民族形式，就等于否认了他在文艺史上因而也就是在民族革命史上的伟大的存在意义了。

第二个幻想是，把民族形式当做民族全体无往不通的形式，现在的任何一个国民都喜闻乐见的形式。这样的幻想也是使人焦躁的，焦躁的结果就是尽力使文艺“低降”，虽然还没有办法“低降”到能够使文盲、色盲、聋子、哑子都一律喜闻乐见的地步。这样的幻想家不但忘记了国民（大众）底现实文化生活状况，而且也不懂：文艺既然是民族的现实斗争底反映，就不能不受能发展也有阻力的主导的斗争力量或斗争观念底领导，不能也不应是一个使人人皆大欢喜的交际明星。为什么不得不通过现实主义的方法，是因为这个原因，由于通过现实主义的方法而产生了艰苦的斗争过程，也是因为这个原因。如果拒绝了这 观点，那“民族形式”底提出就成为只是为了打开“文艺批评之长期寂寞”的一件“文坛趣事”了。

和这些幻想家底幻想相反，争取“民族形式”底发展，实际上是争取“新民主主义的内容”能够更胜利地得到艺术的表现。这就不是一个单纯的形式问题，而是只有从属到总的文艺斗争里面才能够有前途的问题。说

“新民主主义文化的内容，……要从对现有的实际状况战斗出来，它的形式，民族形式，同样也要从对现有的实际状况战斗出来”（潘梓年），就提出了正确的暗示。

文艺运动，是民族解放运动底一翼。一方面，要投身到实际斗争里面，为达到和大众的结合而斗争，另一方面，要坚持而且加强现实主义传统，为提高大众底认识能力而斗争。前者要接受后者底领导，只有接受这领导才能够把握住方向，后者要接受前者底营养，只有接受这营养才能够在活的基础上丰富自己、加强自己。如果说，现实主义的传统只有深入到实际斗争也就是和大众的结合里面，才能够领导大众的文艺斗争也能够在活的基础上丰富自己、加强自己，那么，深入到实际斗争也就是和大众的结合里面，这正是文艺运动在今天的主要任务。

然而，这一个和大众的结合过程，决不是写一些大众化的作品，把它“仍旧放在民间，让它在民间生长，让它在民间流变，让它和广大民众生活在一起，汲收民众生活的营养，同时，它也影响民众的生活”（方白）似的自然流变的过程，而是一个实践行动的艰苦的斗争。作家们投身到或生长自大众中间，和大众生活在一起，或者参加在血火的战斗里面，或者启发大众底文化生活（读报、读书、晚会等），或者组织大众底文艺活动（演剧运动、壁报运动、朗诵运动、通讯员运动等），一方面扩大文化文艺运动底影响，由这来推动实际斗争，加强地争取文化文艺发展底前提条件，一方面感受、把握活的生活现实，把大众底感情、欲望、思想等化成自己底内的经验，由这来在具体的活的形象（中国作风与中国气派）上溶化一代底生活真理；把大众底活的语言和表现感情、思维的方式等化成自己底主观能力（技术），由这来在具体的活的形象（中国作风与中国气派）上表现一代底活的人生。只有通过这一个过程，现实主义的方法才能够成为作家底主观和实际斗争底客观中间的血脉，使作家能够在和内容相应的完全的艺术表现上创造突击的小型作品或综合的大型作品。只有通过这一个过程，才能够推进现实主义的传统，使文艺上的普及工作和提高工作统一在现实主义的传统里面。民族战争向前发展，实际斗争向前发展，在实际斗争里面的或者从实际斗争生长的作家所把握到的内容和形式也向前发展。随着“新民主主义的内容”底向前发展，为了反映“新民主主义的内容”的“民族形式”也就向前发展了。

伟大的民族战争一定要胜利，现实主义的文艺传统也一定要胜利，但它底胜利只有通过这条道路才能够得到。为开辟这条道路而斗争，是我们今天的任务。

一九四〇年，十月十三日，成于渝郊棘源村之落荒土屋

附　记

“民族形式”问题底被提出，大概是一年多以前罢，实际上引起了争论，也已经过了半年以上的时间。争论所触及的问题非常广泛，但限于时间也限于准备，在这里我只就几个主要点提出了供给大家参考的、方法论上的意见，原来预备论到的像“实践上的旧瓶新酒主义”，“新文艺在形式上的发展——诗、小说、戏剧、报告”，“若干形式主义的观点”等，都无法涉到了。

不用说，主要的批判对象是向林冰先生，这不但因为他底论点和新文艺底传统方向形成了鲜明的对立，而且因为他是想用自成体系的辩证法的观点来解决文艺问题。不幸的是，他底辩证法是脱离了实际生活的社会内容也脱离了实际的文艺发展过程的纸面上的图案，因而形成了对于实际文艺运动不但无益而且有害的，主要的错误方向。这是一个理论的悲剧，向林冰先生不自觉地扮演了主角，虽然也能够幸运地获得了几个并非“偶然道伴”的支持者。这原因，一方面固然由于他底哲学观点，一方面由于他底对于现实主义的文艺理论和实际的文艺发展过程只是用辩证法的公式去作公式的理解。不从实际的文艺发展本身去获得文艺发展底辩证法，这态度本身就是对于辩证法的一个嘲笑。不管他底理论体系底完整和对于大众化的可敬的热情，但哲学上的以观念论为基础的公式主义，引出了对于文艺底形式主义的理解，这是并非偶然的。对于他底理论影响的肃清，不但是我们底，而且也是向林冰先生自己底责任。另一方面，他底反对者们，虽然有的也多多少少地带有形式主义的要素，但由于实际的文艺斗争所赋予的实感，也由于主观的文艺斗争立场，都或强或弱地守住了主要的方向。这是实践与理论的统一底实例，也许可以成为对于向林冰先生一个恳切的忠告罢。

然而，由于他底用辩证法的公式所组成的、自成体系的理论，使反对者们也大都解脱不开，只是围绕着“中心源泉”或非“中心源泉”的圈子团团打转，忘记了从实际的斗争过程上去理解问题，解决问题。这，一方面使“民族形式”问题底真实面貌不能够现出，一方面使文坛底大部精力集注到抽象的讨论里面，反而把急迫的斗争课题丢到了一边。这更是一个理论的悲剧，大概不是向林冰先生以及其他的论者们始料所及的。

我们当然欢迎继续并且扩大这一个讨论，但却不能不有一个小小的提议：不要离开实际的文艺发展过程和现实的文艺斗争情势。这不但是一般理论斗争底基本方法，而且是站在文艺理论遗产底贫弱和现实文艺斗争任务底迫切这中间的我们所更要采取的态度。至于从理论的分析转成对于对手的人身攻击，那更是应该绝对避免的。只要能够这样，我相信，这个讨论底展开将使我们底文艺运动能够达到进一步的前进。

临了，这篇小论的草成，得助于向林冰先生底供给材料和一些友人的鼓励，应当在这里表示谢意。

三联经典文库第二辑简目

《游击战教程》　明凡 / 著

《游击战术纲要》　陶剑青 / 编著

《汪精卫卖国的理论与实践》　钱俊瑞 / 著

《抗战以来》　韬奋 / 著

《陕行纪实》　楚云 / 著

《随军散记》　沙汀 / 著

《被日寇囚系半载记》　王研石 / 著

《倭营历险记》　房沧浪 / 著

《活跃的新西北》　田影 / 编著

《保卫华北的游击战》　刘清扬　陈北鸥等 / 著

《徐州突围》　《徐州突围》编委会 / 编

《沦亡的平津》　长江　小方等 / 著

《淞沪火线上》　胡兰畦等 / 著

《瞻回东战场》　长江　罗平 / 著

《东线的撤退》　胡兰畦等 / 著

《抗战中的西北》　徐盈 / 著

《鲁闽风云》　徐盈等 / 著

《西线生活》　西北战地服务团集体创作

《中国解放区见闻》　［美］福尔曼著 / 朱进译

《全面抗战论》　潘汉年 / 著

《日本的间谍》　范士白自述 / 尊闻译

《日本大陆政策的真面目》　国难资料编辑社 / 编

《民众动员论》　李公朴 / 著

《中国外交史》　钱亦石 / 编著

《太平洋军事地理》　蒋震华 / 著

《世界经济地理讲话》　思慕 / 著

《列强军力论》　［德］马克斯·威纳尔著 / 宾符　仲持　梅益等译

《近代国际关系史》　张铁生 / 著

《太平洋现势手册》　沈志远　石啸冲 / 编著

《近代世界政治史》　钱亦石 / 著

《从战争到和平——一九四五年的世界政治》　乔木 / 著

《战后日本问题》　思慕 / 著

《最近一年间的国际动态（1946.7–1947.6）》　《东北日报》社 / 编

《论政党》　翟放 / 著

《法与宪法》　韩幽桐 / 编著

《中华民国宪法刍议》　罗家衡 / 著

《民主·宪法·人权——作之民》　费孝通 / 著

《宪法论初步》　潘念之 / 著

《对反民主的抗争》　韬奋 / 著

《农村改进的理论与实际》　江恒源 / 著

《上海产业与上海职工》（上下）　朱邦兴　胡林阁　徐声 / 合编

《陶行知教育论文选辑》　陶行知著 / 方与严编

《中国通货膨胀论》　杨培新 / 著

《中国及其未完成的革命》　H · 普拉特著 / 蒋天佐译

《中国的建设问题与人的训练》　卢作孚 / 著

《论中国特殊性及其他》　艾思奇 / 著

《中国经济问题讲话》　钱俊瑞　徐雪寒　王渔邨　姜君辰　骆耕漠 / 合著

《中国经济的道路》　许涤新 / 著

《中国财政之病态及其批判》　孙怀仁 / 著

《官僚资本论》　许涤新 / 著

《五四运动之史的评价》　陈端志 / 著

《中国通史简编》（上下）　中国历史研究会　范文澜 / 主编

《论文学的工农兵方向——读〈在延安文艺座谈会上的讲话〉》　雪苇 / 著

《中国近代史（上编　第一分册）》　武波 / 编著

《文学百题》　傅东华 / 编

《中国史学之进化》　周谷城 / 著

《论民族形式问题》　胡风 / 著

《论批评》　荃麟等 / 著

《中国史纲》（第一卷上下、第二卷上下）　翦伯赞 / 著

《近代中国思想学说史》（1–4）　侯外庐 / 著

《中国政治思想史》（上下）　　吕振羽 / 著

《中国哲学史纲要》　　向林冰 / 著

《中国政治史讲话》　　钱亦石 / 著

《中国社会经济史纲》　　王渔邨 / 著

《新财政学大纲》　　千家驹 / 著

《太平天国革命运动论文集——金田起义百周年纪念》

华北大学历史研究室 / 编

《理性与自由——文化思想批评论文集》　　胡绳 / 著

《战斗者的诗人》　　黄药眠 / 著

《国语文法》　　曹朴 / 著

《教育哲学》　　张栗原 / 著

《妇女问题讲话》　　杜君慧 / 著

《婚姻 · 子女 · 继承》　　沙千里 / 著

《性教育新论》　　布士克　雅各生合著 / 董秋斯译

《狱中杂感》　　杜重远 / 著

《七人之狱》　　沙千里 / 著

《爱迪生传》　　伍况甫 / 译

《歌德自传》（上下）　　歌德著 / 思慕译

《尼赫鲁自传》　　［印度］尼赫鲁著 / 毕来译

《列宁传》　　［苏］凯尔任采夫著 / 企程　朔望译

《罗斯福总统传》　　C. Mackenzie 著 / 张尚之译

《托尔斯泰传》（1–3）　　［英］阿尔麦 · 莫德著 / 徐迟译

《革命文豪高尔基》　［美］亚历山大 · 康恩著 / 韬奋编译

《鲁迅纪念特辑》　新中国文艺社 / 编

《回忆鲁迅先生》　萧红 / 著

《人民文豪鲁迅》　平心 / 著

《亡友鲁迅印象记》　许寿裳 / 著

《鲁迅思想研究》　何干之 / 著

《鲁迅研究》　夏征农 / 编

《过来的时代：鲁迅论及其他》　雪峰 / 著

《电影戏剧表演术》　洪深 / 著

《日常心理漫谈》　［美］约瑟夫 · 查斯特罗著 / 曾宝施译

《心理常识漫话》　朱智贤　杨云美 / 著

《读书的方法与经验》　王任叔 / 著

《美国黑人生活纪实》　［美］加德维尔　斯坦倍克著 / 董秋斯译

《初访美国》　费孝通 / 著

《事业与成功》　［美］马尔腾著 / 汪原放译

《萍踪寄语（初集）》　韬奋 / 著

《一生的幸福前途——〈生活周刊〉信箱选集》　生活书店 / 编选

《深刻的印象》　生活周刊社 / 编

《海外的感受》　生活书店编译所 / 编

ISBN 978-7-108-04671-0
9 787108 046710 >
定价：18.00元